COLLECTION FOLIO

D0674640

Philippe Claudel

Quelques-uns
des cent regrets

Gallimard

*La première édition de ce livre a paru en 2000
aux Éditions Balland.*

© *Éditions Stock, 2005.*

Philippe Claudel est né en 1962.

Il a reçu le prix du roman France Télévision en 2000 pour son roman *J'abandonne* et la bourse Goncourt de la nouvelle en 2003 pour *Les petites mécaniques*. Son roman *Les âmes grises*, couronné «Meilleur livre de l'année 2003» par le magazine *Lire*, a obtenu le prix Renaudot 2003 et le Grand Prix 2004 des lectrices de *Elle*. Il est traduit dans vingt-cinq langues.

Pour celles et ceux que l'on blesse

Il faut absolument que devant vous je me souvienne, sinon je vais retomber dans mon silence.

JEAN GIONO

L'autocar a tourné trois fois sur l'esplanade qui borde le port du canal, sans raison apparente, comme si le chauffeur voulait faire sentir aux rares occupants l'âpreté des ornières et le défaut d'amortisseurs. Puis il a fini par arrêter sa machine et couper son moteur. Et il a soupiré, d'un soupir très las, très triste, un peu à la manière d'un enfant qui tortille un chagrin dans sa gorge.

Mon voisin dormait affaissé contre mon épaule. Sa casquette écossaise avait glissé vers sa nuque, mais ses mains tenaient toujours serrée contre sa poitrine une grande enveloppe brune frappée du cachet d'un radiologue. Sa peau sentait la litière de cheval et sa barbe poussait blanche dans les replis du cou.

Le chauffeur a quitté son siège. Il s'est tourné vers l'habitacle, nous a regardés, a commencé à lever ses bras en l'air, puis les a laissé choir ·

«C'est fini, a-t-il dit, voilà, c'est la fin !», et il est sorti de l'autobus pour allumer une cigarette.

Je revenais vers des lieux engourdis, des paysages qui me parlaient au cœur avec l'accent traînant des peines jamais guéries. J'étais un adulte ordinaire, ni plus mauvais, ni meilleur qu'un autre. Je savais derrière moi le meilleur des ans.

Le soir lançait sur la haute colline des éclats compliqués. Des pans entiers de vergers rabougris sombraient dans des puits noirs, sous les torrents de pluie, tandis qu'un peu plus loin de vieilles vignes abandonnées entrelaçaient leurs ceps à des rangées de ronces. J'apercevais aussi le canal et le port. L'eau se plissait parfois sous les bourrasques à la façon d'un grand rideau de scène, et il me semblait qu'une comédie tragique préparait ses effets, pour un dernier acte plein de mystères et de coups de théâtre. Le chauffeur de l'autocar, le voisin somnolent, la jeune fille aux cheveux de corbeau sur la banquette arrière n'étaient-ils pas là aussi pour m'indiquer que le monde m'accordait une pause, une sorte de battement de cils dans l'espace duquel il me fallait comprendre le mystère de ma fausse route, celle que j'avais empruntée depuis bien des années.

«Tout est inondé depuis trois jours, m'a lancé le chauffeur réfugié sous l'abri en tôle, en me désignant les prés qui léchaient le bas du coteau, tandis que je descendais avec ma valise. Il a plu de

14

pleins tonneaux, et ça continue... Un pêcheur est même mort d'avoir voulu sauver sa barque, le couillon... sauver une barque ! Un beau fumier en plus, je le connaissais, il n'aurait même pas plongé pour un enfant ! Il y a peut-être une justice, au fond... Regardez, on ne sait même plus où passe la rivière, l'eau rase tout. Quel spectacle, ça rend modeste, vous ne trouvez pas ? »

Il était taillé en masse, avec un visage bourré de sang que faisait bien ressortir sa blouse bleue, sanglée trop près du corps.

« Moi, quand je vois ça, a-t-il continué, soudain songeur, je pense à toutes les petites bêtes, en dessous, en dessous de l'eau, les souris, les campagnols, les mulots, les taupes, ou bien encore les lézards, tous faits comme des rats ! et qui flottent le ventre ballonné et les yeux déjà blancs, sans avoir rien compris... »

Il s'est arrêté de parler, a tiré trois longues bouffées de sa roulée qui ressemblait à un boyau d'andouillette, puis il a poursuivi sans que je lui aie rien demandé :

« Pour aller au centre ville, enfin centre ville, façon de dire, car ici, vous pétez à un bout et ça s'entend à l'autre, c'est pas bien grand, enfin pour y aller, vous n'avez qu'à passer par la butte de dévinage qui file le long du canal, c'est impressionnant, pas large, en marchant vite, dans dix minutes vous y serez, mais trempé aux os. »

L'autobus était vide maintenant. Mon voisin et la jeune fille avaient disparu dans la nuit. L'air humide sentait la graisse chaude du moteur et le parfum de la vase qui montait des prés inondés. La pluie crépitait sur le toit de l'abri. Le chauffeur s'est tu d'un coup, après avoir tant parlé, et il m'a regardé en coin, longuement :

« Vous n'êtes pas d'ici vous, non, vous n'en n'avez pas l'air, ni la chanson d'ailleurs... à force, je connais tout le monde... Pourtant, j'ai comme le sentiment de vous avoir déjà vu, mais de loin, de loin dans le paysage, ou de loin dans le temps... Moi je m'appelle Bransu, Bransu comme la ville, vous ne connaissez pas ?... Moi non plus d'ailleurs, c'est un type qui m'a dit ça un jour, un gars dans le bus qui lisait tout le temps des livres sans images, il m'a dit qu'il y avait une ville à mon nom, dans un pays, je ne sais même plus lequel, la belle jambe !... Bon, il faut que je retourne, on se reverra sans doute, filez vite, la nuit tombe, vous verrez, vous allez vous prendre pour Jésus sur le lac à marcher comme ça, presque sans lumière entre les prés couverts d'eau... Pensez quand même à ce que je vous ai dit, les petits animaux, tout en dessous... »

La pluie s'était arrêtée. J'avançais sur l'arête du chemin, avec l'eau à gauche, l'eau à droite, et le ciel soudain déchiré qui tombait dedans, lune montante et premières étoiles mêlées, comme des paquets de lumière enfin libres et qui cherchaient à se perdre. Et puis soudain, alors que j'arrivais près des grands réverbères qui signalent l'entrée dans la ville, je me suis retourné à un bruit de caillou qu'on avait lancé au creux de l'immense flaque, dans mon dos. Et je l'ai vu.

Il ne ressemblait à rien d'autre qu'à un gamin d'un âge perdu, élevé aux vents des sentiers et aux produits de rapine. Ses cheveux se tissaient de poussière et de crasse. Il avait les jambes nues sous une culotte courte trop large. Sur ses genoux, des croûtes brunes étoilaient comme des trophées de victoire sa peau sale de libre *camp-volant*. Un petit pull en mauvaise laine rouille lui collait à la peau et dessinait son torse de singe. Son visage

17

restait dans la nuit, mais je devinais ses yeux, de petites pierres pour ainsi dire, et qui de temps à autre lançaient des gerbes de silex. Puis il a ri comme un diable, et s'en est allé en courant vers les ténèbres. Le bruit de sa cavalcade est tombé comme un galet dans un grand gouffre.

À *l'Hôtel de l'Industrie* — le seul de la ville —, il a fallu que j'insiste, tambourine, gueule à pleine voix, pour qu'une fenêtre s'ouvre, méfiante, puis une lumière, et qu'enfin une semelle traînante descende un escalier, passe le couloir et entrebâille la porte.

« Vous devez faire erreur », m'a dit le patron — il s'appelle Joseph Sanglard, il me l'a dit une heure plus tard en me servant ma cinquième prune, Joseph Sanglard dit Jos Sanglard, ancien fondeur de la Compagnie Minière, et qui a noyé son héritage et sa retraite dans le rachat de l'hôtel, il y a de cela onze ans, pensant être aux petits oignons, les pieds au feu en hiver, et le gosier au frais sous les tonnelles pamprées du printemps, pour le reste de son existence : au lieu de quoi, un hôtel en déroute, une usine en berne, un commerce moribond, et les crues qui recouvrent la petite ville et font fuir les passants pendant les grands automnes.

« Oui, vous devez faire erreur », et plus tard il m'a dit aussi, pour sa femme, le peu de mots de leur quotidien, ses regards à elle comme des épieux ou des reproches, sa femme qui lui sert en guise de mots d'amour l'hôtel misérable comme une croix à porter, le sel et le poivre dans la blessure, la retraite au vinaigre et la soupe à la grimace, tous les jours réchauffée.

« Enfin, si vous insistez, a-t-il fini par me dire, je vais vous en donner une, de chambre, mais vous serez bien le premier depuis au moins... Attendez... Le dernier, je crois que c'était un gendarme en goguette, qui sentait fort des pieds, et qui avait un accent du Sud... Cela remonte à huit mois ! Vous pouvez choisir, les clefs sont là, toutes les chambres sont les mêmes, douche et bidet, W-C sur le palier. »

Et de fil en aiguille, il m'a raconté sa petite ombre à lui, la plaie de sa conscience, et ses varices aussi qu'il voyait à la manière de méandreuses mortifications : « Quelqu'un me fait payer aux jambes ce que je dois du côté de l'âme, vous ne croyez pas ? Remarquez, mes varices, je les vénère, elles me font voir du pays sans bouger, je les inspecte et je rêve, elles ont la forme du cours des beaux fleuves, il y en a une, c'est l'Orénoque tout craché, une autre, on jurerait la Meuse, dès qu'elle sort des Ardennes et file dans la Flandre, j'en ai une somptueuse aussi qui trace parfaitement les gribouillis de la Seine dès lors qu'elle passe Paris, vous voulez voir ? »

Son alcool n'était pas mauvais. Il le servait dans

des verres en terre, courts et grenus, qui ressemblaient à des douilles de chasse et faisaient un claquement de grenouille quand on les reposait sur la table.

«Jos, Jos Sanglard», répétait-il en se tapant sur la poitrine comme pour se convaincre que c'était vraiment lui, et qu'il existait encore un peu.

Je lui ai parlé de l'enfant du chemin de dévinage, mais il ne m'écoutait guère. «Peut-être un manouche du camp des Briques, il y a deux ou trois caravanes bloquées par les eaux depuis trois semaines, on ne sait pas trop d'où ils viennent, comme d'habitude... Alors ça traîne dans les rues jusqu'à pas d'heure! C'est canaille et compagnie! Les enfants, moi, j'en ai jamais voulu, pourtant ma femme m'a tanné le cuir, mais j'ai résisté, c'est sale et ça grandit, les enfants, c'est plein de vices et de mal. Ça sort un jour du corps de femmes qui sont superbes, et dès ce jour-là, elles deviennent laides, gâteuses, et vous tournent le dos pour torcher des fesses toujours souillées, et embrasser des peaux qui sentent le lait caillé et l'urine. Et puis les enfants, ils finissent tous par tailler leurs parents en pièces, et les regarder comme des morts, moi, je ne voulais pas d'un cinéma pareil, pas ce cinéma pour le vieux Jos, Jos Sanglard, c'est mon nom!»

C'était son nom, et c'était notre douzième prune, quand un petit bout de femme en chignon, enturbannée dans un peignoir de damas est venu le chercher, sans un mot, d'un seul regard où il était dit qu'il devait filer et vite, et ranger la bouteille, et me donner la clef. Lui, il pesait dans les cent dix kilos, de muscle et de graisse. Un grand gaillard taillé en arbre qu'on imaginait avoir été jadis le plus bel homme de son canton, tout en épaules et chevelure lustrée, la proie des muscadines et des roussettes. Sa femme ressemblait à une gerboise empaillée. Le foin ne la remplissait pas, mais les années l'avaient desséchée et repliée sur elle-même à la façon d'un petit arc sans corde. Son menton était coupant comme un canif. Jos, Jos Sanglard, m'a lancé un regard battu d'eau. Ma tête tournait sous les assauts de la prune. J'ai regardé le curieux couple monter l'escalier, lui devant, elle le nez à hauteur de ses fesses, et qui semblait ramener une grande et penaude bête à l'étable.

Il était près de minuit. La chambre dont j'avais pris la clef avait une haute armoire à glace, un lit au matelas creusé par des milliers de reins, une petite table, un chevet dépareillé, un tapis faussement turc. Le bidet fuyait en goutte à goutte, et l'eau avait peint sur le fond de l'émail une manière d'arum verdâtre dont la tige plongeait dans la bonde. Près du lavabo, un poète de passage avait écrit dans le plâtre «*Je m'appelle Dudule. et je vous encule!* ». À côté, en gravure délicate, il y avait un gros cœur maladroit.

Une fois couché, lumières éteintes, sous l'édredon gonflé comme une joue d'angelot, je me suis souvenu des jours d'enfance où, chaque année, pendant un trop long mois, j'étais séparé de ma mère. Je devenais colon, comme on disait, c'est-à-dire, pour moi, orphelin de quatre semaines, à coucher sur d'étiques lits en fer, à suer sur le tissu noir de départementales bordées d'ormes bruissants, à pleurer enfermé dans les cabinets qui sentaient le grésil et l'eau de Javel. Ce mois de vacances était mois de souffrance. J'y pleurais mon compte d'une année, mangeais à quatre heures d'épaisses tartines de pain couvertes de compote de pommes, buvait des litres de sirop de menthe trop dilué, écrivais chaque jour des lettres qui commençaient par : « Maman, ma petite maman, je m'ennuie de toi si fort que je crois que je vais *mourrir...* » Il m'a fallu six colonies de vacances pour supprimer le « r » superflu de mourir, et trois encore pour remplacer « mourir », par « tomber gravement malade », qui me paraissait moins radical et davantage dramatique.

La prune a fait tourner ma couche, les murs se sont parés de grands soleils ternes comme des cœurs blessés.

Le lendemain, j'avais un rendez-vous capital.

J'ai pensé au peuple des rats qui poursuivait

22

dans son sommeil le chauffeur de l'autocar, et puis
soudain l'enfant, l'enfant du chemin de dévinage,
avec ses genoux meurtris et sa culotte trop large,
l'enfant sans visage est venu s'asseoir au bout du
lit, et m'a veillé longuement, très longuement, et
je ne voyais toujours que ses cheveux de brous-
saille et, par moments, ses yeux de pierre.

Puis il s'est levé et a franchi la fenêtre. Dans
une chambre proche, un rire a grandi, pareil à une
plainte de vent hurleur mêlé de grêle. Le lit tan-
guait de plus belle.

Il a fait noir. Mon petit théâtre de poche a fermé
son rideau.

Au matin, une pluie féroce se mariait à quelques rais de lumière oblique. Les gouttes d'eau prenaient une teinte laiteuse. La ville était à tordre. Je suis sorti de l'hôtel où pas une âme ne semblait vivre.

La morgue n'était guère loin. Des traînées de mousse noire rongeaient son antique façade. Ses gouttières percées rendaient une musique chuintante et le toit d'ardoise plongeait dans le ventre gris du ciel.

Un commis entre deux âges, avec une drôle de tête de chou-fleur, m'a ouvert sans me poser de questions. Puis il s'est incliné devant moi et m'a conduit dans une pièce étrangement mécanique, tout en chromes et carrelages. Là, en un geste banal, il a tiré vers lui un drap blanc.

Devant moi est apparu le visage de ma mère.

Il n'a fallu que quelques pauvres secondes au commis pour dévoiler ce qui m'avait été caché si longtemps, le visage de ma mère, son visage, son beau visage que je n'avais pas revu depuis seize ans. Seize longues années, seize minces années qui m'avaient fait devenir un homme déjà las, un peu amer.

Elle portait des cheveux un peu plus longs que par le passé. Sa blondeur s'était mêlée d'argent. Son visage gardait la beauté simple qui en était la marque. À peine les rides l'avaient-elles tissé d'un mince réseau de blessures. Le temps s'était déposé en elle, avec sa fatigue et son poids, comme une poussière. Les paupières encore à demi-ouvertes, longues et rondes, gardaient une nuance mauve. Ses lèvres étaient pâles, presque blanches, comme si elles les avaient avec force mordues et que tout le sang se fût retiré d'elles.

Étaient-ce les années vécues sans la voir qui me faisaient la croire plus jeune qu'elle n'était en vérité ? La mort lui allait comme un curieux vêtement.

Le commis a toussé. Il est venu près de moi, a ramené le drap blanc qui m'a dérobé son visage, puis a fait glisser dans un grand silence le plateau de fer martelé sur lequel elle reposait. Il a fermé, d'une simple pichenette, la petite porte de la trappe sur laquelle figurait le nom de ma mère, et m'a souri, triomphal en me désignant son oreille de son index.

« Vous avez entendu la petite musique de la

porte ? Haute technologie n'est-ce pas ! Tout est allemand, il n'y a pas mieux, une vraie référence... L'ordre, ils s'y connaissent, moi, c'est ce que j'aime chez eux... Pour le reste, c'est discutable... les plats en sauce, l'usage du cumin, les culottes de peau et le bois sculpté, je suis moins chaud... Si vous avez un peu de temps, je vous fais visiter, les locaux sont flambant neufs, le maire n'a pas mégoté, on leur doit bien ça à nos morts, pas vrai ? »

Je lui ai emboîté le pas, petit pantin sans esprit, bien heureux qu'on me parle et qu'on me considère, ne sachant plus vraiment ni quel était mon âge, ni quelle était ma voie.

« Avant, vous auriez vu, c'était une honte, on n'avait pas de place, dès qu'on avait un gros arrivage, on les mettait deux par deux, c'était d'ailleurs cocasse, parfois, ces grandes embrassades froides, certains qui ne se causaient plus depuis vingt ans se retrouvaient dans les bras l'un de l'autre, tout nus tous les deux, à se parler sans mot... Fini tout ça ! Le luxe désormais ! Mais les gens ne se rendent pas toujours compte, ils sont un peu ingrats en ces moments, égoïstes quoi, c'est à peine s'ils regardent autour d'eux, il n'y a que le défunt qui les intéresse... De la confiture aux cochons dans bien des cas, si vous voulez mon avis ! »

Je le suivais un peu comme un enfant perdu,

étourdi par le flot de ses paroles qui me vantaient son domaine, tandis qu'il tapait sur les portes de métal pour en faire sonner les qualités, me désignait en sifflotant la machine à laver les draps mortuaires, d'un modèle spécial, avec charge et demi-charge, essorage programmable.

Il n'était pas onze heures du matin. Ma mère était morte depuis deux jours. J'avais honte de ne pas être triste, et de ne pas avoir pleuré, tout en sentant au fond de moi-même une sorte de creux à vif, et qui ne cessait de grandir. En me raccompagnant, le commis m'a salué de façon protocolaire, à la façon d'un prestigieux maître d'hôtel, et m'a dit son nom, Spielstein, avant d'ajouter : « Je suis juif, ça aide ! », sans que je sache à quoi.

La pluie s'était accordé un répit. Des employés communaux taillaient des massifs d'hortensias. Les têtes des fleurs s'étaient dépouillées de leurs nuances roses pour épouser lentement une sorte de gris rougeâtre. Trois vieux sur un banc mouillé regardaient l'entrée de la morgue avec un air de défi, mi-sourire, mi-canaille, en crachant de temps à autre de grands jets de salive mêlés de tabac.

Bien au-dessus de nous, des traînées de martinets zébraient le ciel bas de leurs griffures piaillantes.

Je suis revenu vers l'*Hôtel de l'Industrie* où la veille au soir j'étais arrivé à pied après avoir marché sur l'eau. Autrefois, lorsque je n'étais qu'un gamin malingre, l'établissement accueillait une clientèle nombreuse de représentants de commerce venus des quatre coins du pays. En plus de leurs mauvaises chemises blanches, ils y apportaient leurs sourires factices et leurs bagouts de bellâtres. S'ajoutaient à la troupe forte en gueule le patois traînant et la couperose des maquignons de passage qui véhiculaient tous les jeudis, dans des bétaillères beuglantes, des bêtes sur pied qu'on immolait le jour même, à grands coups brefs de merlin, dans les abattoirs de la ville.

Sur trois étages, les balcons de l'hôtel vomissaient des géraniums rouges qu'échevelait le vent du sud. La façade ripolinée présentait comme des blasons le disque bleu et rouge des routiers, la

29

publicité émaillée de la bière *KB* et celle du vermouth *Ostrogoth*. Accroché au-dessus de la vitrine, un vaste panonceau, chantourné et rectangulaire, éclatait de ses lettres peintres, vernissées à l'ancienne. On pouvait jadis y lire :

À L'INDUSTRIE
pensions, chambres au mois

et juste au-dessous, en plus petits caractères :

Noces et banquets
Spécialités de coq au vin et de tarte aux quetsches

À midi, la salle de restaurant craquait sous les poussées des tables pleines de contremaîtres et de petits artisans qui, sous une coupole de fumée, venaient s'extasier devant une assiette de pieds de cochon ou de tête de veau, buvant des verres de vin trouble tout en flattant de la main la croupe charnue de la serveuse. Celle-ci riait sans cesse, aux éclats, à toutes ces mains abîmées par la vie et qui palpaient ses fesses avec une sauvage délicatesse. Elle avait un visage de Castafiore, des seins énormes, rendus pointus par un soutien-gorge qui paraissait taillé dans une armure, et une chambre de bonne dont la croisée donnait à l'arrière sur un grand verger à l'abandon.

Au prétexte de traquer les hannetons qui surfilaient les soirs de juin de leurs ellipses vrombissantes, nous nous hissions dans les plus hauts pommiers. Alors, il nous arrivait d'apercevoir la serveuse entrer d'un pas las dans sa chambre, défaire son complexe chignon, enlever sa tunique noire et son tablier blanc. Puis, en combinaison saumon et bas à jarretière, elle fumait des cigarettes, couchée sur son lit, les jambes tendues contre le mur.

Parfois, dans un grand silence, elle dansait des tangos suaves avec un partenaire fantôme, longuement, enserrant de ses mains déjà ridées l'air gris de tabac de sa chambre, avant d'embrasser avec passion une bouche invisible. Jamais je ne l'ai trouvée ridicule en ces moments de grande solitude, à l'inverse de mes camarades de maraude qui se gaussaient d'elle, et l'imitaient, moqueurs, par la suite, dans la cour de l'école, en tortillant du cul.

Dès qu'elle entrait dans la modeste chambre qui était toute sa vie, la serveuse, qui je crois s'appelait Léone, quittait son rire en même temps que ses habits de domestique. Son visage devenait sombre comme un brassard de veuf. Elle paraissait vieillir d'un coup, marquée d'une peine chaque soir retrouvée, chaque soir accrue, et que la danse muette parvenait juste à repousser, l'espace de quelques pas. Après un long moment, la nuit tout à fait venue, elle finissait par éteindre sa lumière, et nous ne voyions plus que la fleur incandescente de la braise de sa cigarette, qui de temps à autre pointait sa corolle de feu dans les ténèbres, avant de disparaître à jamais.

Jos Sanglard lavait le sol de la salle de restaurant à grande eau. Il était en maillot de corps. Sur ses épaules, de longs poils gris partaient en tous sens comme des broussailles. Il poussait des souffles de forge, tout en ramenant le balai de sous les tables, avant de l'essorer dans un seau en zinc. Un homme à la face d'abricot séché lampait au comptoir un galopin de bière. Le grand miroir multipliait les bouteilles de fines et d'apéritif à l'infini et dans un angle, l'oreille collée contre la membrane d'un gros poste de transistor qui beuglait une chanson d'amour, la femme de Jos dormait la bouche ouverte. Elle était assise dans un fauteuil à roulettes, un fauteuil pour handicapé, alors que la veille au soir, je l'avais vue grimper l'escalier avec l'aisance d'une jeune fille.

«Ça vous épate, hein, allez ne dites pas le contraire, je vois ça dans vos yeux... qu'est-ce que vous voulez, chacun ses lubies ! Pour certaines, c'est la soierie et les colifichets, ou encore l'odeur des hommes ; elle, c'est le fauteuil... La journée, il faut pousser Madame, la porter au besoin ! Ça lui a pris peu de temps après notre arrivée, quand la grande déconfiture a commencé, le tiroir-caisse vide à pleurer de dépit chaque soir, les clients aussi rares qu'un cul-de-jatte avec de beaux mollets, Madame s'est affaissée, trente ans d'âge d'un coup, et le coup du fauteuil, il est venu peu à peu, et ça a pris ; maintenant tout le monde le gobe, et moi le premier qui me plie par bêtise ou pénitence à la supercherie, et même le médecin, même le médecin qui lui fait des prescriptions pour paralytique... Enfin, ça ou autre chose... Je vous sers un verre ? »

Jos avait posé son balai et s'était approché du comptoir. Sa femme dormait toujours l'oreille écrasée contre le poste de radio qui maintenant hurlait le résultat des courses de chevaux.

« Vin de noix, fabrication de la maison, rien de tel pour tuer les mirages de la prune, vous verrez » !

Il n'y avait pas à protester. Il n'y a jamais à protester contre les propos de spécialistes et les désirs des hommes qui portent le licol et le joug. Sa liqueur avait un goût de terre et de sureau, ainsi que la couleur du surplis des pénitents. Pas mauvaise en somme, propre à rendre au plus désespéré d'entre nous l'illusion que le lendemain, à défaut d'être meilleur, ne serait en tout cas pas pire que la veille.

Jos a resservi l'homme à l'abricot sans lui demander son avis, et l'autre d'ailleurs n'a pas refusé. Le manège entre eux était réglé comme du papier à musique. Jos a tenu à commenter :

«Faut rien demander à des comme lui, juste remplir, un point c'est tout ! Remarquez, si je fais ça, c'est pas pour l'argent, j'en suis plus là maintenant, au début oui, et puis j'ai vite compris, non, c'est plus par amour de l'humanité, faut pas les laisser mourir... Ne vous en faites pas, on peut causer, il est sourd comme un pot !... En parlant de sourd, vous avez dû entendre rigoler cette nuit, non ? un rire de folle ? Faudra vous y faire si vous restez un peu, c'est une vieille démente qui dort non loin, on la garde par bonté, elle rit tout le temps, et parfois même elle appelle son fils, pensez donc, un gosse mort à cinq mois, on l'entend dans la nuit gueuler comme une louve le prénom du gamin, je vous expliquerai une fois, si vous voulez... »

Jos a pris un torchon sous le bar, puis s'est mis à astiquer avec une rare violence la surface du comptoir qui soudain a brillé comme un astre. Il était difficile de donner un âge au bistrotier car sous les rides nombreuses de la face couraient encore des forces vives. Mais il y avait les cheveux gris, les muscles des bras lâches comme du

35

mou de veau, le ventre défait sous le maillot rayé, et l'œil surtout, l'œil qui jamais ne ment, l'œil de Jos qui disait les brisures et les coups, toutes les lâchetés de la vie, son fiel et son ennui, l'œil qui voyait se dessiner la fin.

«Mais au fait, excusez, je suis curieux, vous êtes là longtemps... ?»

Que pouvais-je lui dire sinon la mort de ma mère, sa mort et mon retour, sa mort en solitude ?

Parfois de grands malheurs sont ramenés par nos semblables à des proportions raisonnables, et les autres ne nous aident jamais tant que lorsqu'ils dégonflent comme des vessies de poisson, nos forts élans de désespoir. Jos a pris quelques minutes une mine de deuil, puis m'a versé d'autorité une pleine rasade de vin de noix ainsi que, par réflexe, une bière à l'Abricot. Nous avons trinqué tous les deux sans mot dire. Sa femme dormait toujours. L'Abricot sec a plongé son petit nez dans le ballon. La radio cacophonait. Et Jos, pour rompre le silence, a conclu, sentencieux, après avoir fait claquer le cul de son verre sur le comptoir :

«Des poux, on en a plein, une mère, on n'en a qu'une !»

Je suis né dans un très jeune ventre de seize ans.

Cela, Jos, Jos Sanglard ne le sait pas, ni personne. À peine l'ai-je su moi-même, ou en tout cas bien trop tard, quand le mal était fait. Il m'a fallu du temps pour me rendre à cette vérité qui faisait de moi le petit assassin, le meurtrier geignard d'une fleur à peine éclose qui n'a jamais connu la lumière des rêveries. J'ai fait sombrer une enfant dans le monde des mères. Ma venue l'a fait glisser dans la nuit. La nuit de l'abandon et de l'étroite amertume.

Une photographie aux bords crénelés, si petite dans son carré de noirs précieux et de blancs nuancés de blondeurs, me montre dans ses bras encore dodus et ronds. Je disparais dans des duvets de linges brodés, encapuchonné d'un bonnet de dentelle dont le ruban de satin bleu paraît me scier la gorge et le menton.

Je dors. Je dors les paupières alourdies par le

lait bu sans doute à grandes gorgées avides, comme un petit vampire soiffard.

Ma mère se tient bien droite sur la photographie. Elle ne me regarde pas. Elle regarde droit devant elle. Elle regarde le vide, ou bien celui qui tient l'appareil. Je suis dans ses bras comme un fardeau présentable. Son visage a la clarté des jeunes demoiselles, mais on perçoit déjà le voile de grisaille qui peu à peu s'étendra jusqu'à la ronger. Elle ne sourit pas.

Elle se tient droite dans une sorte de jardin décrépi et boueux. Des touffes d'herbe s'étalent en chevelure ébouriffée sur une maigre terre trouée de flaques et d'empreintes de pas. À quelques mètres derrière elle, on distingue l'angle bancal de clapiers à lapins, faits de tôles ondulées travaillées par la rouille, et au-delà, des rangées d'arbres ras, aux branches nues qui soupirent après d'hypothétiques bourgeons, et l'imposant mastaba d'un grand tas de fumier.

Le vent qui vient de la gauche soulève les fins cheveux de ma mère. Un rayon de soleil dessine dans la boue l'abstraite silhouette d'une ombre géométrique. On voit la forme d'un chapeau, un bras qui se lève, une épaule peut-être...

Longtemps, j'ai voulu voir dans ce dessin inachevé, pour ainsi dire inquiétant, la figure secrète de mon père que je n'ai jamais connu et dont la seule image, plantée au-dessus du lit de ma mère, valait relique. Il y posait rieur dans une belle tenue d'aviateur. C'était avant qu'il ne disparaisse. C'était avant qu'il ne meure dans une guerre lointaine, dans un pays de douceur et de pluie.

L'ombre est longue, et haute. C'est une ombre d'homme. Elle se plaque sur la terre jusque dans ses ondulations, et ce qui doit correspondre au visage parvient à effleurer les pieds de ma mère, tandis que le bras levé se suspend non loin de mon front endormi.

Dans la rue, un poids lourd a corné, et le bruit du klaxon, d'une épaisseur huileuse, m'a ramené au présent de mes jours. J'ai glissé de nouveau la vieille photographie dans mon portefeuille. C'est la seule que je possède. Elle me suit depuis toutes ces années.

Sur la tapisserie de la chambre, des biches fuient depuis plus de trente ans les chasseurs embusqués, à l'épaule endolorie. Seules la couleur du pelage et celle du feutre des chapeaux se sont perdues un peu en cours de route, donnant de la grâce à ce qui jadis n'était qu'un papier peint du plus mauvais goût.

Tout est là : la beauté ne survient qu'après l'usure et les grandes fatigues, sans qu'on l'attende, qu'il s'agisse de celle des choses ou de celle des êtres.

Onze heures étaient passées. J'ai fermé la lumière

J'ai dû rêver la veille au soir le klaxon ainsi que le poids lourd, car plus rien ne passait dans la rue. Le niveau de la rivière avait encore monté, et la grande mare clapotante commençait à lécher les maisons les plus basses. Une grosse femme penchée à sa fenêtre laissait tomber ses mamelles et ses yeux sur l'eau auréolée d'essence qui entreprenait avec méthode de noyer sa cave. Un peu plus loin, au sec, quelques groupes commentaient l'affaire, les mains dans les poches, l'allure soudainement marinière. On déambulait avec des airs de dimanche ou de vacances humides. Les enfants en rupture d'école lançaient des esquifs de papier journal qui, après quelques mètres glorieux, s'effondraient et s'étalaient tout à plat avant de sombrer en torchon.

Ma nuit avait été une sombre compagne. Je suis descendu.

Jos avait mis trois chaises devant l'hôtel. « Pour

le spectacle », m'a-t-il dit. « C'est beau, non ? ça me rappelle des choses que je n'ai jamais vues... Mon rêve à moi, c'était Venise... mais on n'a jamais pu... Là, on y est, c'est tout comme ! »

Je l'ai laissé à sa lagune, et puis je suis monté en flânant vers l'église. Fichée sur un chicot de grès, elle domine la ville de son curieux clocher à bulbe. « Venez quand vous voulez, m'avait dit le prêtre que j'avais eu au téléphone, et cela d'une voix bien lasse, je ne quitte jamais les lieux, ou presque. »

J'ai bien malgré moi glissé mes pas dans ceux du petit enfant d'autrefois. Je m'étonnais de ne croiser aucune personne connue. C'était comme si le temps avait emporté les visages et les silhouettes de ceux que j'avais jadis côtoyés.

J'ai retrouvé des routes et des jeux de cloche-pied. Le plus miteux des angles de trottoir, la façade pâmée d'une maison de bois devant laquelle des copeaux de sciure déroulaient leurs frisures blondes, l'odeur fétide de la dernière ferme, celle des Vertemonde, où des bêtes encore malaxaient de la paille dans leurs lèvres très roses, m'ont relié à des jours sans nuages.

Tous les dimanches matin, j'allais ainsi vers la haute église, mon aube éclatante repliée avec soin sur l'avant-bras. Tout dormait encore dans les rues livrées à la torpeur de ces jours arrêtés. Les enfants de chœur se retrouvaient dans la sacristie borgne que venait d'ouvrir la vieille Louisa, une bigote racornie de méchanceté, qui régimentait notre troupe et distribuait les rôles. Les curés passaient, débonnaires, patauds, fiévreux, mystiques ou jouisseurs. La vieille Louisa, elle, restait, véritable maître de l'église, de l'ostensoir, des cierges, des surplis, des étoles, des troncs et des encens. Toujours elle restait dans l'ombre. C'était une créature de la terre la plus sombre, celle des trous et des galeries, des cachots infestés, des recoins fangeux et pestilentiels, une manière de blatte maquillée d'attributs honorables et qui puisait dans le fiel sa vigueur et sa joie.

Après les baptêmes et les mariages, une fois les messes terminées, les familles parties vers des bamboches au mousseux, et les aubes défaites, il nous fallait défiler devant elle, devant sa petite personne, sa bouche mince comme une lame de rasoir, ses cheveux violets et permanentés. Elle nous faisait ouvrir les mâchoires, montrer les paumes bien à plat, et retourner nos poches de culotte. Elle traquait ainsi le moindre sou, les plus petites pièces et les dragées. «Pourris de vices, pourris de vices», répétait-elle à notre adresse, à la façon d'une litanie démente, tandis qu'elle refermait ses doigts comme des ergots sur les offrandes d'amande et de sucre, les sous de métal. Plus d'un parmi nous, à la voir vivre et respirer au sein du même monde qui accueillait la beauté des aubépines, le parfum des lilas et les yeux doux de Liselotte, ma compagne de dix ans, douta de l'existence de Dieu.

Mais quand son enterrement fut célébré, le surlendemain d'un beau jour de mai limpide entre tous où elle s'était fracassée le crâne en descendant dans sa cave, les douze enfants de chœur étaient là, au grand complet, cela ne s'était jamais vu, du petit Marceau qui n'avait que sept ans, un bec-de-lièvre et un regard d'ange, au gros Voitier, qui lui déjà était presque un homme, pesait quatre vingt kilogrammes, buvait du vin, avait deux cœurs et trois couilles, cela je le jure, trois couilles, pas une de moins, qu'il nous faisait toucher moyennant vingt centimes, derrière les piles du *Pont des voleurs* où nous patientions en file indienne, alléchés par la monstruosité anatomique

En ce jour de gloire, l'église était déserte, vidée par la méchanceté de la morte et sa vie de médisance. Le curé psalmodiait à la voûte et au cercueil de pauvre bois. Nous étions de part et d'autre du prêtre, comme les hérauts d'une garde prétorienne, et chacun d'entre nous savourait le moment solennel ainsi que le phrasé des incantations en revoyant le corps sec, à la mauve chevelure, et qui n'aboierait plus jamais ses paroles cariées.

Quelque temps plus tard, un vague neveu venu pour liquider l'héritage découvrit stupéfait dans toutes les armoires de la maison de sa tante, dans les malles, sous les sommiers, dans les placards, les réserves, les boîtes, les soupentes, les alcôves, les resserres, jusque dans les cabinets, des milliers de sacs à dragées en tulle jauni et craquant, étiquetés par ordre chronologique et sur lesquels étaient inscrits les prénoms de baptisés devenus des hommes chauves, des femmes grosses, ou des jeunes couples mariés dont beaucoup avaient alors déjà péri. Il lui fallut une pleine journée pour en débarrasser le logis et les dragées mortes allèrent orner de leurs milliers d'ovales blancs, azur ou roses, le monticule fétide de la décharge municipale, parmi le foin pourri et les cadavres de poupées.

À peine remblayée, la petite tombe de Louisa se couvrit très vite de chiendent, de chardons, d'herbe à chat. Je n'y vis jamais pousser aucune fleur. Est-ce parce que nous y pissions trop souvent, sans haine mais à jets pleins, que les beautés fragiles des coquelicots et des bleuets qui tiennent d'ordinaire compagnie aux plus nécessiteux des morts ne daignèrent pas broder de leurs mouvantes assemblées de soie le rectangle de terre caillouteuse ? Ou est-ce tout simplement parce que les fleurs, plus sensibles que nous autres les hommes, ne se compromettent pas à tremper leurs fines racines dans la pourriture et le mal, alors que sans scrupule nous passons nos vies à y plonger nos bras entiers ?

Le curé dormait sur un coin de table. J'avais sonné trois fois avant de me décider à entrer. Ses cheveux se collaient au plateau de chêne. Il avait la bouche ouverte, quarante ans environ, et une barbe de trois jours... À côté de son bras gauche, une bible volumineuse épongeait de ses milliers de pages le contenu d'un verre renversé. Ouverte sur *Le Cantique des cantiques*, elle gorgeait d'auréoles vineuses le dialogue d'amour de Salomon et de la Sulamithe tandis qu'un peu plus loin, sur l'étiquette d'une bouteille de vin rouge, un pêcheur hilare tirait sur les rames d'une barque pansue.

Il m'a fallu secouer le prêtre et faire couler le long de ses tempes un peu d'eau froide afin de le réveiller tout à fait.

« Vous m'avez vu tel que Dieu m'a fait... », m'a-t-il dit dès qu'il a pu ouvrir un œil. Il s'est levé, mal assuré, s'est regardé dans un débris de miroir accroché au mur avant de faire disparaître dans une armoire ce qui restait du litron de piquette.

Il a pris sa bible, en a chassé le vin du plat de la paume, et l'a essuyée avec un torchon de cuisine, comme une assiette ou une poêle. Puis il l'a refermée, avec un claquement sec.

Soudain de grandes larmes ont coulé le long de ses joues avant de se perdre dans sa barbe. Il pleurait sans avoir l'air d'être triste, comme malgré lui. Il ne parlait plus, secouait la tête de temps à autre, chassait d'invisibles poussières sur les plis de sa soutane.

Je n'ai jamais aimé le silence des curés, ni les regards qu'ils plantent dans les nôtres. Ce sont les spécialistes du silence : ils attendent que l'autre se trahisse, succombe à leur profondeur en avançant le premier mot qui dévidera la pelote entière. Après, tout n'est qu'affaire de métier, ils obtiennent souvent de retourner la peau de l'individu comme celle d'un lapin et de donner au ciel toutes ses écorchures.

Assis sur une petite chaise de paille, j'évitais ses yeux et questionnais muettement un saint Christophe musculeux qui traversait le gué ondoyant d'une chromographie pendue au mur qui me faisait face.

« Vous êtes celui qui a téléphoné ? Bon, condoléances, comme on dit... Moi, ma mère, je l'ai à peine connue, au fond c'est peut-être mieux, je n'aime pas les morts, surtout les morts que j'aime, comment vous faites, vous ? Moi je crois que j'irais avec eux dans la tombe... je ne pourrais pas rester... Je ne sais pas pourquoi je vous dis tout ça... »

Moi non plus, je ne savais pas pourquoi il me disait tout cela. Mais je préférais qu'il me parle de tout et de rien, plutôt que de se taire ou de me parler de ma mère. Pourtant, au bout d'un moment, l'air de rien, il y est venu de plein front, là où je ne l'attendais pas.

« Les gens veulent toujours savoir de *quoi* sont morts les morts, mais l'important n'est pas là... La vraie question, c'est *pourquoi* ils sont morts, et celle-là, cette question, on ne se la pose jamais... Vous vous êtes demandé, vous, pourquoi votre mère était morte ? Je suis sûr que non ! Et pourtant, tout est là, mais on n'a jamais la puce à l'oreille... Vous savez, on ne meurt pas sans raison, le jour et l'heure non plus ne tiennent pas au hasard, pas plus que le choix de la maladie ou de l'accident ; demandez-vous pourquoi votre mère est morte, et vous aurez fait un bon bout de chemin vers elle... Tout le reste, les simagrées, la douleur qu'on s'impose, le chagrin, les remords, c'est de l'esquive, du mal qui rassure, si vous voulez ! On n'a pas assez de tripes pour se regarder en face et se poser la vraie question... On préfère de l'or et des vapeurs, de beaux habits, des prières, un vrai théâtre en couleurs, avec des figurants plus vrais que nature, de plates hosties qui collent à la gorge, et tout là-haut comme un grand Espoir invisible et qui ne coûte pas cher... Je vous choque ? rassurez-vous, je crache un peu dans la soupe, mais je vous la ferai votre messe. Après-demain, vers 10 heures, ça vous va ?... Eh bien c'est parfait ! Venez, je vais vous montrer quelque chose... »

Le curé m'a pris par le bras pour m'entraîner au fond de sa maison. Nous avons traversé des pièces privées de lumière dans lesquelles des meubles et des vêtements traînaient dans le plus grand désordre. Partout des piles de livres dressaient vers les plafonds leur équilibre babélien. Des caisses de bouteilles de vin rendaient le cheminement périlleux. Une vieille porte de bois claquée contre le mur a fait danser soudain une clarté de vif-argent dans l'étroit couloir. Un escalier de trois marches descendait vers un jardin à l'abandon qui venait s'appuyer contre un muret d'ardoise et dominait les maisons.

« Regardez, m'a dit alors le curé, regardez un peu le spectacle... »

Toute la ville semblait se rapetisser sur elle-même pour échapper à l'eau montante. Île aux toitures roses et aux murs sales, elle flottait au centre d'un bourbier grisâtre qui charriait d'inutiles roseaux arrachés par le courant, et des paquets d'herbe mimant des chevelures. Le lac éphémère s'épaulait aux premières pentes de la colline aux vergers, et de la nappe clapotante qui ne renvoyait pas la clarté du ciel émergeait seulement une sorte de monticule hérissé de pierres debout que je savais être des croix.

« Quelle idée, vous ne trouvez pas... Regardez, qu'est-ce qu'on a pensé à mettre au sec d'abord, ici, alors qu'il y a toujours eu de fortes crues ? L'église et le cimetière ! Ils ont préféré mariner pendant des siècles, une fois par an, dans cette espèce de grand café au lait mais garder leurs morts bien au sec, et leurs reliques aussi... Une veuve m'a même dit un jour : "Vous comprenez, Monsieur le curé, savoir mon Edmond dans l'eau, comme un pauvre noyé, ça, je ne pourrais pas ; et puis, le pauvre, il ne savait même pas nager !", et tout cela dit sans rigolade, comme une bonne évidence... »

Le curé s'est tu. Il a posé ses mains bien à plat sur le parapet, a fermé les yeux pour aspirer une pleine gorgée de l'air moisi qui nous venait par pleins paquets. Il a gardé ses yeux clos, et lentement, d'une voix fine que je ne lui connaissais pas encore, a repris :

« Votre mère, elle avait un visage passé, un visage de fleur passée... je ne sais pas trop comment vous dire, mais... je m'y connais en visage... et surtout dans ce qu'ils veulent dire à force d'être comme ils sont... J'ai longtemps été *physiono-*

miste dans une sorte de casino-dancing, avant
d'être curé... Ça vous étonne, hein ?... Pourtant, les
deux métiers sont assez proches, on y rencontre
des gens qui ne savent plus très bien vers où aller...
Parier sur un bandit-manchot ou sur la présence
de Dieu, quelle différence au fond ? »

Toutes les paroles du curé venaient en moi
comme un poison vaguement sirupeux qui m'en-
gourdissait. Je ne savais plus très bien pourquoi
j'avais tenu à le voir, ni même ce qui m'avait fait
rester aussi longtemps à ses côtés. Et soudain,
alors que je me perdais dans les toits luisants qui
composaient un damier irrégulier sous nos
regards, j'ai songé à la souffrance de ma mère, à
son enfermement, aux *grandes douleurs* qui sont
celles des morts. Je l'imaginais s'étouffant, ne
pouvant plus hurler de sa bouche noire et vide. Je
la voyais mourir une seconde fois dans la morgue
éclatante dont le commis m'avait vanté la mécanique et la beauté. Ses yeux s'ouvraient sur mes
années d'absence, mes années de fuite, et je m'y
jetais comme sur les pentes d'un gouffre épineux.

« Vous voyez cette fleur un peu courbée, a
repris le curé, cette fleur à côté du buis ?... Vous
ne pouvez pas vous tromper, il n'y en a qu'une,
elle ne pousse que seule, c'est *l'Opale de Syrie*,
une fleur assez rare d'ailleurs, regardez bien ses
pétales, si vous les froissez dans votre main, vous
aurez la sensation de frôler une peau très douce,

et quand il a plu comme aujourd'hui, et que l'eau a battu la fleur, elle ploie sa tête avec une grâce telle que l'on dirait une condamnée montant à l'échafaud... Quand je croisais votre mère, cela m'arrivait au moins deux fois par semaine, elle faisait toujours le même trajet, elle partait de chez elle, faisait un grand détour pour éviter le port, et montait vers l'église, mais elle n'allait jamais jusqu'à l'église, elle s'arrêtait avant, comme si elle en avait eu peur, quand je la croisais donc, je ne pouvais pas m'en empêcher, en la voyant, je pensais à l'*Opale de Syrie*, immanquablement... Elle aussi me paraissait chercher le chemin de son échafaud. »

Il a bien fallu que je me décide. Jusque-là, je n'avais pas vraiment osé lever mes yeux sur la ville où j'avais grandi. Je craignais trop de succomber à un repentir facile, une sorte de nausée de nostalgie, aux effets connus et ravageurs mais qui, somme toute, n'ont que peu de parenté avec la sincérité des affections profondes. Les murs sont des murs ; les rues, des routes, les voies tracées ne sont que des lignes de bitume et de gravillons. Pourquoi, diable leur faire endosser une peau trop humaine ?

J'étais donc allé tête baissée, pour ainsi dire, vers l'*Hôtel de l'Industrie*, la morgue ou bien encore l'église. C'était une façon de lâche. Je me devais d'ouvrir les yeux et de contempler les traces de douceur et de jeux, les ruelles à cachettes, les jardins où nous gaulions jadis les fruits mûrs et les baisers des filles, les magasins formidables où l'on pouvait tout aussi bien trouver des bouchons à brochet, quelques revues automobiles, des graines de lupin, des caoutchoucs à verrines, le dernier modèle d'aspirateur, des bâtons de réglisse.

Ma tête résonnait encore des paroles du curé qui avait refermé sa porte derrière moi avec une lenteur sentencieuse.

Il faisait doux. Dans le ciel, les écharpes de nuages réservaient en leur ventre des grosseurs de pluie. Une odeur d'automne brassait une étrange matière faite d'écorce de noix, de verdure mâchée, de fruits tombés aux pieds des arbres et négligés des cueilleurs. Quelques rayons glissaient sur les façades des maisons pour en souligner l'âpre tristesse.

Au coin de la rue des États, j'ai retrouvé l'enfant sans visage qui m'avait suivi, le premier soir, jusque dans ma nuit. Il me tournait le dos, accroupi, occupé à compter des billes de terre sans doute gagnées à un de ses camarades : il ne m'a pas entendu m'approcher. Il portait toujours son petit pull rouille et ses cheveux avaient encore le gris poussiéreux des routes ouvertes aux vents hostiles. Il égrenait les chiffres, comptait sur ses doigts sales aux ongles cassés, secouait sa tignasse.

Quand je lui ai lancé trois mots, trois mots de rien, il ne s'est pas retourné, il a ramassé ses billes en raclant la terre, puis il a déguerpi sans me regarder, en lançant un rire pointu de rongeur qui a claqué contre les murs.

« Votre mère est prête, elle vous attend... » ai-je entendu alors derrière moi, tandis que je regardais le maigre fantôme s'évanouir dans le goulet. Je me suis retourné : le commis de la morgue me dévisageait avec sa tête de légume. À ses côtés, trois petites filles en robe pâle souriaient.

« Spielstein, la morgue, vous me remettez ? Et voici, Ionash, Esther et Judith, mes petites colombes, mes filles. »

Elles avaient la beauté souveraine du premier lys éclos au matin de tous les mondes. Elles se tenaient bien droites dans des robes blanches qui leur donnaient des ports de communiantes. Quelques années séparaient chacune des trois sœurs, mais on avait le sentiment de ne voir en elles qu'une seule enfant, à des âges divers, et dont le temps n'avait pas encore froissé la chair tendre.

Leur père les tenait par le cou, caressant leurs longs cheveux que le vent entremêlait à les lier comme de fins doigts de princesse priante.

La laideur parfois engendre la plus singulière beauté. Le commis de la morgue avec son visage rance et ses yeux de misère était père d'entières merveilles. Là était sa revanche.

« Votre mère est prête, a-t-il repris, j'ai fait au mieux, n'est-ce pas, comme vous ne m'aviez rien dit, mais vous verrez, je ne suis pas trop mécontent de moi... Pour les tarifs, nous verrons après, jugez d'abord sur pièce ! À propos, pour le cercueil, je peux m'en charger si vous le souhaitez ?... Bon, entendu, je le ferai... Je vous laisse, vous pouvez aller la voir quand vous voulez, moi je ne serai pas là, mais quelqu'un la veille et vous ouvrira... dites au revoir au Monsieur, mes colombes ! »

Les petites filles, en chœur, m'ont donné leur salut, et leurs adieux flûtés me sont entrés dans le corps comme des pointes suaves.

« Avec ce temps, peau de balle pour le commerce ! » lança Bransu, le chauffeur de l'autocar, assis bien droit dans l'illumination d'un lustre à cinq branches, la fourchette haut dressée, et la bouche pleine. Il dévorait avec une tranquillité animale un plat de tripes en sauce qui donnait à ses lèvres des rougeurs de sang versé.

« Vous devriez goûter, a-t-il jeté à mon adresse, Jos n'est pas bon à grand chose question cuisine, mais pour ça, c'est un maître ! »

Bransu avait posé à côté de lui sa casquette, un gros trousseau de clefs, et un journal plié à la page des sports. Il commentait pour lui seul les résultats et le manque de motivation des équipes actuelles.

« Chez les Mayas, on sacrifiait aux dieux l'équipe perdante, à moins que ce soit les gagnants, je ne sais plus trop... En tout cas, ça ne manquait pas de piment, la grande sauvagerie ! Il faudrait réhabiliter tout ça, la guillotine au bord des stades ! Le couperet, le bûcher, les gibets, attention mes gaillards, cavalez vite, marquez des buts, sinon on vous rétrécit, on vous branche, on vous roue ! Vous verriez, plus de *gnangnans*, de simagrées à se tordre par terre comme des femmes en travail, du sport, rien que du sport, du vrai ! »

En s'énervant à parler, il avait tant remué sa fourchette que le petit morceau d'intestin, plissé comme une fraise Henri III, qui gesticulait sur les trois dents avait fini par s'envoler dans l'air lourd de la salle de restaurant pour terminer sa course contre le grand miroir du comptoir. Il est resté un moment, indécis sur la route à suivre, puis a fini par glisser gracieusement sur la glace biseautée en y laissant une mouvante traînée vermillon : on aurait dit qu'une main minuscule s'était essuyée contre le verre après quelque lilliputien assassinat au couteau.

Bransu engouffrait des bouchées énormes, comme si chacune d'entre elles eût conditionné sa survie, en ruminant toujours des sentences applicables aux footballeurs mollassons. Dans le plat, à ses côtés, la tripaille répandait son fumet de ventre mort et de bouquet garni.

Tout ce rouge mijoté m'a ramené au beau visage d'Oreste Didione, que nous surnommions avec une pointe de respect *Merlin l'enchanteur*. Célibataire, il occupait le petit appartement du second étage de la maison de mon enfance. Ma mère et moi étions au premier. Le père Franche et sa femme battue étouffaient leur haine dans l'exiguïté du rez-de-chaussée.

Oreste Didione occupait la fonction de « Premier tueur » aux abattoirs de la ville. « Un don de naissance, se plaisait-il à dire, modeste, une question de doigté, poursuivait-il, je n'y suis pour rien, j'ai été gâté. » Son habileté à manier la petite massette d'acier terminée en pointe lui avait valu son surnom qu'il portait comme un trophée de guerre.

Les effrois populaires se plaisent à raconter les gestes pâmés de femmes trempant leurs blancs mouchoirs dans le sang des scènes capitales, du temps que celles-ci étaient encore publiques. Était-ce alors l'odeur du sang qui collait à la peau d'Oreste, plus que sa beauté rieuse de dieu olivâtre et son élégance de mise, qui expliquait son succès auprès du sexe ? Il est un fait en tout cas que tout ce que la ville comptait de cuisses légères, célibataires, veuves ou mariées, s'est frotté un jour contre la peau soignée de *Merlin l'enchanteur*.

Sorti de son travail, Oreste prisait le coutil immaculé, les panamas tropicaux, ainsi que les chaussures bicolores où le cuir brun épousait en arabesques surpiquées la serge beige. Il pommadait ses cheveux noirs avec la lotion *Camenilla*, « importée directement de Buenos Aires », tenait-il à préciser, qui laissait dans l'escalier et jusque

61

dans les cabinets communs une lourde traîne de violette et de jasmin. Chaque soir de printemps et d'été, il tenait terrasse sous la lumière au gaz du Café des Maréchaux, près de la placette de la Liberté sur laquelle depuis près de deux siècles un chêne tissait ses sèves en de volumineuses branches.

Oreste avait un faible singulier pour les apéritifs du passé, et le patron, pour flatter le client fidèle, s'était mis en peine de rabattre tous les stocks anciens des vermouths qui se buvaient trente ans plus tôt. Aussi, au frais des soirs de juin, quand le soleil tombé donnait au ciel l'épaisseur d'un lait bleu, Oreste pouvait-il tremper ses lèvres dans un verre de *Vergaillard* — «Plus qu'un apéritif, une œuvre d'art»; ou bien de *Berticcio* — «La boisson des héros»; ou bien encore de *Perpétame*, «Le bien du corps, la joie de l'âme». Sa chevalière en or massif éclaboussait la nuit des brillances qu'elle volait au bec de gaz tandis qu'il levait vers ses lèvres soulignées d'une fine moustache les alcools qu'il était désormais seul à boire.

Tout chez lui était différent. Sa démarche rappelait la danse. Il levait son chapeau avec un mouvement rare. Son bonjour était grandiose. Les animaux qui mouraient sous sa main devaient plus que tout autre apprécier sa distinction.

Ses conquêtes féminines lui valaient certes un nombre d'ennemis considérables : du mari cocu aux soupirants floués, beaucoup lui tenaient ran-cœur, mais on ne cherche pas querelle à un homme qui d'un seul coup de merlin, bref et concis, abat une bête de huit cents kilos.

Oreste Didione parlait avec une légère pointe d'accent sud-américain, ce qui ne cessait pas de m'étonner pour un individu natif de Saint-Flour, Cantal. Son rêve devait tenir en de grands espaces, multipliés par les galops de cheval et les milliers de coups de sabots qui font d'une pampa désolée un tambour du songe. Et si parfois son phrasé auvergnat reprenait le dessus, notamment quand quelqu'un fermait la lumière du corridor et qu'il se retrouvait enfermé dans les ténèbres des cabi-nets, ce n'était que par oubli passager d'une poé-sie de la mise en scène qui l'avait fait devenir celui qu'il n'avait pu être.

Nous sommes tous à courir après d'autres nous-mêmes, les mains jointes, ou les genoux meurtris. *Merlin l'enchanteur* avait décidé une fois pour toutes de forcer la géographie, l'état civil et le cours des années : cela impose le respect. Une autre de ses qualités, et à mes yeux non la moindre, était de ne jamais manquer de saluer ma mère. Il était pour cela l'un des rares.

Il m'a fallu du temps pour me rendre compte des regards qui se détournaient à notre approche, des portes qui se fermaient, des discussions qui mouraient dans de longs silences. Quelle peste avait frappé celle qui me donnait la main et qui plus belle que tous les jours de mai réunis, souriait à un lointain horizon parmi les foules hostiles ? Les années ne me donnèrent pas la réponse, mais me firent en deviner une qui me décida à fuir. Et depuis, dans mon absence, je n'ai eu de cesse de la tourner et de la retourner, cette raison, comme un éclat de verre au creux de ma main, en regardant le sang qui s'épanchait ainsi de mes blessures.

Les abattoirs municipaux ressemblaient à un cartonnage peint de blanc d'Espagne. Situés en bordure de la ville, de grands champs de blé dont l'odeur vers la mi-juillet rappelait celle d'un pain tiède venaient battre leurs murs comme des vagues blondes. Les bêtes pénétraient dans l'abattoir avec lenteur, presque avec grâce. Un commis les touchait d'un vergeon de saule. Les vieux chevaux regardaient de leurs grands yeux les carcasses de leurs frères tourbillonnant à des esses de fer. Les têtes de certains d'entre eux, comme des jouets inutiles ou des accessoires d'un théâtre cruel s'entassaient dans une fosse sous les poignées de chaux. Les vaches et les bœufs se posaient moins de questions, et ne levaient guère leurs lourds museaux. Les paysans échangeaient du tabac en se tenant à l'écart, à l'ombre des bétaillères.

Le sang sortait du bâtiment par une rigole

grosse comme la cuisse de deux hommes, puis s'en allait dans le pré. Au-delà, il y avait la rivière. Les jours de grande tuerie, le flot saturait l'herbe et la terre, noyait les boutons-d'or, les campanules et les véroniques sauvages, et s'en venait aux berges pour finir par glisser dans l'eau, teindre les algues d'une ombre amarante, et se mêler aux tourbillons gras. Quelques pêcheurs se battaient dès avant l'aube pour les meilleures places, le long de la goulotte, et ne les cédaient plus jusqu'au soir. Le poisson s'enivrait. Il faisait bon.

Nous autres, les enfants laissés aux vents de tous les suds, prenions le sang à pleins paquets, ainsi que des parts de gâteaux hautes et trem-blantes, et nous nous jetions au visage ces boules de neige écarlate. Très vite, nous ressemblions à de petites divinités païennes qui se seraient rou-lées dans le ruisseau des sacrifices.

Oreste, méconnaissable, discutait avec trois hommes dans la fraîcheur carrelée d'une immense salle. Ils avaient tous quatre le corps serré dans un grand tablier de ciré. Un calot de la même matière achevait de leur donner une apparence férocement chirurgicale.

Quittant le petit groupe, il s'avançait vers un animal, avec dans sa main la fameuse massette. Le bestiau attendait, le front bas, résigné.

Juchés sur un entassement de caisses bran-lantes, nous observions la scène par une fenêtre :

arrivé près de la bête, l'amateur de vermouths obsolètes levait son outil, puis l'abattait sèchement, l'air de rien, entre les deux yeux. L'animal, dans la fraction de seconde qui suivait le coup, semblait se désarticuler, se tordre, et s'affalait lourdement sans le moindre soubresaut. Il gisait ensuite au pied de son sacrificateur, qui tirait une bouffée de sa cigarette en rejetant son calot un peu plus sur sa nuque.

Au-dehors, il faisait encore plus doux. L'été filait sa musique d'alouettes. Tout n'était en vérité qu'une question de doigté, Oreste le disait bien.

Oreste Didione, que les crépuscules rendaient parfois philosophe, disait aussi que chaque homme rencontre un jour son destin sous les traits d'une pierre, d'un nuage, de l'ombre d'une vieille femme, ou de toute autre cocasse apparence, mais que peu s'en rendent alors compte.

Pour lui, la Fortune choisit de s'incarner dans la carcasse pelée d'un taureau hors d'usage, aux pauvres cornes bancales, aux flancs secs comme des cales échouées, et dont les yeux se constellaient de chassie et de mouches. Oreste ne se méfia pas du vieillard qui l'empala tranquillement avant de lui déchirer le ventre sur quarante trois centimètres et de jouer avec les serpentins de ses boyaux comme avec une pelote de laine.

L'agonie de *Merlin l'enchanteur* dura toute une nuit. On le transporta dans son appartement où des

Saintes-Vierges électriques jetaient des lumières clignotantes. Il gémit doucement des mélodies andalouses, exigea qu'on lui passât son costume de coutil, se couvrit lui-même de son plus beau panama.

Il mourut avant le chant des premiers coqs.

Bransu avait fini ses tripes et sauçait l'assiette avec de larges morceaux de pain. Jos massait ses varices qui ce jour-là lui faisaient grand mal, « surtout la Seine », a-t-il tenu à me dire en me désignant, après avoir remonté sa jambe de pantalon, les méandres gonflés et bleus qui, sous son genou gauche, reproduisaient à s'y méprendre les sinuosités du beau fleuve.

Je n'ai pu refuser le verre que le chauffeur m'a empli. Nous avons trinqué. Puis, repoussant son assiette et plantant les coudes sur la table, il m'a regardé droit dans les yeux, un peu rieur, un peu moqueur, et m'a demandé :

« Vous y avez pensé à mes petits animaux... ? »

En face de la morgue, les trois vieillards n'avaient pas bougé de leur banc. À croire qu'ils surveillaient les manœuvres constantes ou bien étaient si peu vivants qu'ils ne pouvaient plus se lever. Tous trois portaient une casquette dont la visière déformée par les pluies et les soleils leur tombait sur le front. Aucun ne disait mot. Ils devaient se connaître depuis l'enfance et n'avaient plus besoin de se parler pour se comprendre. L'habitude les faisait rester côte à côte, à moins que ce ne soit la haine, l'envie, qui sont aussi les ciments formidables de bien des couples de hasard. Celui du milieu avait ses mains posées sur une canne de frêne, et quand je suis passé à quelques mètres d'eux, il a levé la tête, m'a jeté un soupçon de sourire, peut-être, puis j'ai cru l'entendre dire.

« Alors, on revient ? »

Il ressemblait à mon grand-père, le père de ma mère, par ses traits minces et cireux, sa bouche haut levée et très lisse, ainsi que ses yeux petits que des paupières lourdes paraissaient dévorer. Il avait aussi son maintien, une raideur hautaine qui confère à ceux qui la possèdent une sorte d'aristocratie du corps.

Ce grand-père, je l'apercevais chaque jour sur le chemin de l'école. Mon trajet lambinait entre des jardins sertis dans des murets de pierrailles, puis passait devant l'épicerie-tabac de la mère Gressoille, une grosse dame barbue qui, en plus de son petit commerce assoupi de bonbons en bocaux et de vins au pichet, ramassait dans une charrette à l'essieu grinçant les peaux de lapins et les vieux cuirs. Ensuite, j'empruntais un raccourci qui courait le long de la rivière. La maison de mon grand-père était sur l'autre rive, peu après un pont étroit où deux hommes à bicyclette ne pouvaient se croiser.

L'été, il passait la journée sur une sorte de banc de pierre abrité par une vigne vierge qui mangeait la façade en estompant ses larges lézardes. En hiver, il restait debout derrière la fenêtre de ce qui devait être la cuisine, impassible et rêveur, faussement humain.

Quatre fois par jour, je le voyais ainsi, à chacun de mes trajets ; lui me voyait aussi, me guettait sans doute, en tout cas je me l'imaginais tout en l'espérant. Une rivière nous séparait, quelques dizaines de mètres tout au plus de courant et d'algues serpentines, un infini de silence, de regards insaisissables : riait-il, me faisait-il des grimaces, me voyait-il au moins, savait-il qui j'étais, était-il vraiment vivant ?

Jamais il ne vint nous voir, et jamais nous n'allâmes chez lui. Quand parfois nous promenant, nous devinions au loin sa large carcasse, je sentais la main de ma mère se raidir, et j'avais le sentiment que tout son corps devenait d'une pleine froideur. Son visage se couvrait d'un glacis minéral. Elle ressemblait alors à ces femmes fines et tendres qui un jour sans prévenir chutent vers le crime ou le meurtre de soi. Et nous rebroussions chemin.

Je n'ai que peu de temps ignoré la présence de cet homme. Les autres, toujours prompts à la bienveillance, se sont chargés bien vite de me dire que je n'avais peut-être pas de père, mais que j'avais un grand-père qui respirait le même air que moi. Et tout cela dit avec de bons sourires appuyés, des caresses mielleuses, qui peuvent tromper un garçonnet crédule, un petit coq efflanqué — *épais comme un couvre-joint*, disions-nous alors —, et qui avait le cervelet d'un étourneau.

Les sourires devaient être moqueurs, on riait sans doute de moi dès que mon maigre dos avait passé l'angle du mur. La farce était bien bonne ! Certains hommes carburent au vin rouge et aux alcools multiples ; quelques-uns à la fumée d'encens et à l'odeur des cierges ; pour d'autres, les plus nombreux peut-être, la haine distillée et le mal répandu sont des aliments nécessaires.

« Je te l'interdis ! », me disait ma mère, dès que je lui confiais mon désir d'aller voir mon grand-père, de connaître sa voix, la couleur de son regard, son odeur, la chaleur de sa paume. « Cet homme, il n'y a pas de mot pour lui, il m'a tant fait à moi, que je ne veux pas qu'il t'approche ! » Et ma mère qui d'ordinaire avait le regard bleu et sec, inébranlable face aux coups de la vie et à la dureté de sa condition, délaissait en ces moments son beau masque de jeune femme fière et forte, pour devenir sous mes yeux, un faible animal haletant, dont le cœur à la chamade soulevait la peau fine à la rompre.

Si je n'ai pas plus connu ma grand-mère, du moins celle-ci nous visitait-elle une fois par mois. Elle venait, petite ombre courbée, battant les murs, toujours vers les sept heures du soir, et je ne voyais son visage qu'à la clarté diffuse des lumières artificielles. Elle avait un visage détruit, dont la douceur avait été arrêtée par une plaie inté-rieure qui avait fini par gagner ses lèvres, ses yeux, ses joues, les ailes de son nez. Elle portait sur ce visage le signe des malheurs et celui de toutes les hontes. Elle n'avait plus d'âge. Elle semblait déjà hors de notre monde. C'était une pierre de fontaine frottée aux eaux glacées du temps.

Je me rappelle le baiser qu'elle me donnait, du bout de ses lèvres effroyablement froides, et c'était davantage un effleurement contraint et presque surpris qu'un baiser véritable. Et quand je tentais de le lui rendre, je ne parvenais à toucher de ma bouche que ses cheveux déjà jaunis, car elle tournait tant la tête qu'elle me dérobait à chaque fois sa joue.

Je restais peu en sa présence. Ma mère m'envoyait lire dans la chambre, ou, lorsqu'il faisait beau, jouer dans le jardin. Grand-mère me regardait avec peur. Elle n'osait trop laisser ses yeux sur moi. Il me semblait qu'elle tremblait presque à me contempler, moi qui n'avais que peu d'années et à peine plus de kilos.

Les deux femmes demeuraient alors ensemble. Cela commençait toujours par des cris assourdis, des hurlements de fauves étouffés et qui n'en étaient que plus violents, et se terminait par des sanglots, des sanglots versés par l'une, jamais par l'autre, et des silences, de grands silences, opaques comme une encre de Chine, des silences qui me semblaient être la mort. Je tendais l'oreille, puis un bruit finissait par érailler le vide affreux. Je devinais que ma grand-mère se levait d'une chaise, je l'entendais distinctement se moucher, essuyer ses larmes, murmurer : «Ma petite... ma pauvre petite », et partir sans dire plus de mots. Je regardais la photographie de mon père comme pour y trouver une réponse. J'interrogeais son sourire. Je l'imaginais dans les airs à caresser les nuages.

Je revenais auprès de ma mère. Elle avait le visage lisse et les yeux secs.

Des années durant, je me suis arrangé de ces mystères. Toutes les familles possèdent, dit-on, d'épaisses strates de silence tendu, des souffrances engluées dans des secrets cachés bien au fond de belles armoires à linge.

Le rituel des visites de ma grand-mère, la mécanique de ses baisers infirmes et de ses regards flétris ôtaient un peu d'étrangeté à ce dialogue à vif entre deux femmes qui me chassaient de leur théâtre. Je m'habituai à voir sa silhouette craintive venir à nous pour affronter chaque mois des flots de bile qui ne faiblissaient jamais, implorer je ne savais quel pardon, me tendre ses cheveux retenus par un peigne d'écaille qui prenait sous mes yeux la forme d'un petit animal recroquevillé dans la mort et l'oubli.

Il me restait les sourires, vite revenus, de ma mère, son ventre chaud et tendu sous la blouse, sa bouche rose à l'incarnation pleine comme une baie de framboisier, ses bras enserrant ma tête, démêlant mes cheveux, pour que se dissipât l'étrange ténèbre près de laquelle j'avais un instant titubé.

J'ignorais les questions. Je ne voulais alors voir de la vie que les soleils et les matins.

L'entrée de la morgue était pleine d'une musique d'orgue, lente et simplette, et du parfum artificiel qui émanait de grands liliums aux pétales de tissu. La veille, je n'avais pas remarqué les drapés de velours violet, presque noir, dans lesquels la lumière paraissait se rouler et dormir, non plus que les allégories naïvement peintes sur deux murs qui se faisaient face : un bateau, voiles tendues par un vent léger, partait vers le large dans les rougeurs d'un couchant d'opérette, tandis que de l'autre côté, un grand oiseau au plumage d'or venait de prendre son envol et s'apprêtait à planer sur les cimes de pics en chantilly.

Une femme sans âge est venue vers moi. Quand je lui ai adressé la parole, elle m'a regardé sans me répondre, avec une sorte de sourire léger qui s'est éternisé sur son visage. Puis d'un geste, elle m'a invité à la suivre. Nous sommes entrés dans une pièce que Spielstein m'avait déjà fait traverser.

Sur un catafalque recouvert d'une gaze amande dont les plis au sol suggéraient des éventails ouverts, reposait ma mère, les mains jointes sur la poitrine, liées par un chapelet aux perles de buis et dont la fine croix d'argent semblait emprisonnée entre ses deux pouces. Elle était vêtue d'un robe que je connaissais bien, petite robe d'été aux motifs de bouquets de cerises dont elle était jadis si fière, et qu'elle ne sortait de son armoire que pour des occasions majeures et rares, *14 Juillet*, Fête d'automne, Feux de la Saint-Jean, escapades à la grande ville. La robe, malgré son tissu mince, n'avait pas eu ainsi le loisir de s'user, et aujourd'hui, elle accompagnait intacte dans sa plissure volante celle qui autrefois en prenait tant soin, et que je ne vis jamais la porter sans que sur son visage il n'y eût un sourire lumineux qui rendait ses yeux clairs comme des ciels d'avril.

Une main l'avait coiffée, poudrée, avait fermé ses paupières, peint ses lèvres d'un rouge pâle. À la regarder ainsi, je la retrouvais presque comme je l'avais connue, il y a longtemps, quand nous nous préparions à aller en ville, et que, pour le coup, elle s'était souvenue qu'elle était encore jeune, et belle, et avait osé appliquer sur son visage les parements parfumés qu'elle gardait dans une ancienne boîte de biscuits. Délaissant son éternel sarrau bleu, elle se glissait dans la robe aux cerises ; elle quittait ainsi magiquement le monde des cuvettes d'eau sale et du linge à repasser pour devenir, l'espace de quelques heures, une rieuse à la légèreté fleurie.

Nous nous promenions au hasard émerveillé des rues de la grande ville après avoir emprunté *la micheline* qui m'enchantait par son panache de fumée noire et sa trompe digne des plus beaux transatlantiques. Accoudé à la vitre baissée, je regardais à me tuer les yeux de vent et de poussière, les prés, les vaches, les canaux sur lesquels des péniches pleines de sel ou de coke fendaient l'eau brune entre deux plissures ourlées et mouvantes, les grands ciels perçus comme des draps tendus d'une représentation fabuleuse pour laquelle on n'attendait plus que les trois coups.

Nous passions ces après-midi-là à nous gorger de rêves à deux sous, volés aux devantures des boutiques et aux étals du grand marché central. Je revois sa main caresser les soies qu'elle ne pouvait se payer, parcourir les coupons d'organdi, les mètres de taffetas et les rubans dorés. Je la suivais, petit homme trop bas, le front à hauteur de fesses, heureux de venir avec elle dans les antres féminins qu'étaient les magasins de nouveautés.

Ma mère posait sur les richesses exhibées en vitrine des yeux d'enfant affamé. Et certes elle l'était encore un peu, enfant, dans sa naïve précipitation, dans sa joie qu'elle laissait voir au premier camelot vantant une batterie ménagère ou bien la dernière génération d'épluche-patates, dans les rires aussi qu'elle me lançait comme des fleurs ou des baisers, ne se préoccupant pas des autres, de ceux qui la regardaient sans doute de très haut, jasant sur sa robe maintes fois portée, maintes fois lavée, ses chaussures poussives dont le cirage ne parvenait plus à patiner les écorchures, son sac à main passé de mode et qui n'avait plus que la forme de l'indigence.

Vers quatre heures, elle m'entraînait dans un salon de thé qui portait un nom pour moi fabuleux, *Le Merle blanc*. Souvent, j'ai tenté d'imaginer l'oiseau pâlement albinos, décoloré par les pluies et les vents, rejeté par ses congénères à la noirceur charbonneuse — les seuls habilités à porter le nom de merle — et devenu juste bon à servir d'enseigne au commerce de brioches et de cafés viennois.

Le lieu bruissait des entrechocs feutrés des tasses et des soucoupes. Les conversations se tenaient *doigts en l'air*. Il y avait des chiens peignés qui sommeillaient contre les escarpins vernis et dans l'air, un parfum de rhum chaud et de poudre de riz. Toutes les femmes avaient de grands bijoux. Leurs ongles peints étaient triangulaires et leurs lèvres trop rouges semblaient assassinées.

Ma mère me laissait choisir les gâteaux. Elle ne prenait jamais rien, prétextant que la marche ou la chaleur, ou le froid, ou la pluie, ou le soleil, lui avait coupé tout appétit, et qu'elle aurait autant de plaisir à me voir dévorer des pâtisseries que si elle les eût elle-même mangées. J'étais dupe en toute sincérité. Je croyais son bon sourire. Je me précipitais sur le *Napolitain* surmonté d'élégants rouleaux de chocolat, le *Pithiviers* et sa farce de frangipane, le *Saint-Epvre* bourgeois.

Le Merle blanc était le domaine exclusif de la féminité, où les conversations prenaient le ton acide du potin et de la confidence douce-amère. On y parlait de mésaventures, de tour de taille, de bas gommés. On plaignait les douleurs du bas-ventre, les fatigues mensuelles, les grossesses poussives. On riait aux cocufiages publics. La patronne avait des allures espagnoles sous son chignon bleu nuit qui frôlait le plafond. Elle trottinait dans une jupe tant ajustée que ses deux genoux n'en faisait plus qu'un seul. Les talons de ses chaussures semblaient être des poignards. Elle avait les fesses d'une jument de halage.

La ville depuis a épuisé ses trajets de mystère et j'ai perdu le grave privilège de me rendre dans les toilettes des dames, comme jadis, sans y éveiller le scandale. *Le Merle blanc* existe toujours. La patronne a le même chignon qu'autrefois mais elle a gagné maintes rides et une lenteur patiente. Elle ne porte plus de talons hauts mais des chaussures épaisses et des collants de contention, ce qui d'ailleurs ne gâte en rien sa belle allure. Les clientes, elles, n'ont pas changé. Celles qu'enfant je prenais pour des duchesses ou des reines en voyage avec leurs bijoux voyants et leurs parfums de grand siècle ne sont en vérité que les petites employées des commerces environnants, les vendeuses maniérées qui croquent du bout de leurs lèvres les gâteaux et les médisances, et engloutissent leurs pauvres salaires dans les colifichets et les soins esthétiques. On y parle toujours menstruations et mascara. On plaint l'amante délaissée tout en se riant d'elle. On soupire après les yeux d'un altier chef de rayon.

Souvent, j'ai eu le désir de m'approcher, au hasard, de l'une d'entre elles et de lui parler ; de lui parler de ma mère, de sa joie à me voir mordre dans les gâteaux, de sa robe où ne cessaient de tomber de frais bouquets de cerises, de la féerie passée du *Merle blanc* qui me semblait, tout enfant, résumer les voluptés du monde et ses grandes largeurs.

Mais je ne l'ai jamais fait. À quoi bon ?

Les autres sont si loin de nous, et plus encore de nos fantômes.

Les eaux avaient encore monté. La ville se lovait dans des tourbillons brunâtres. Les maisons semblaient encore plus se serrer les unes contre les autres et hausser vers le ciel leurs toitures trempées. Une petite pluie féroce tombait dru, parfois secouée par de brusques bourrasques. Jos regardait tout cela derrière son carreau comme pour s'y perdre.

« Vous vous rendez compte, ça n'arrête donc pas, à croire qu'ils pissent de pleins baquets là-haut ! »

Comme je le sentais d'humeur causeuse, et que sa femme n'était pas là — « C'est sa grande sieste, bien dépliée dans son lit, elle reste comme ça des heures, pour un peu je la croirais morte, et moi tranquille du même coup, enfin, je dis ça, je sais même pas si je le pense » — je lui ai proposé une tournée.

Sans me demander mon avis, il s'est emparé

d'un litre aux formes de stalactite bouffie. Sur l'étiquette, une femme aux formes évasées dansait une gigue du diable dans des flammes qui lui caressaient les chevilles. « Mon péché mignon, *Euskadi*, ça s'appelle, je la planque... Ma femme prétend que ça rend fou, c'est basque, une spécialité, je n'ai jamais trop su ce qu'il y avait dedans... le représentant est passé une fois, je lui ai pris une caisse, il n'est jamais revenu, c'était il y a huit ans, goûtez donc ! »

L'alcool avait la consistance d'un sirop et la force d'un coup de poing de première. Au début, on ne sentait rien, et puis, au bout de quelques instants, on ne sentait toujours rien. Le feu faisait des ravages. « Ça vous tue les plus forts ténias ! Un élixir pareil, ça devrait être remboursé par les caisses maladie ! » Il fallait patienter, attendre que tout revienne en ordre pour que naissent des arômes rares de cuirs tannés, de poisson cuit et de serpolet. J'ai poliment décliné le verre suivant. Jos s'est servi pour deux.

Depuis quelques instants, j'entendais un bruit clair, comme si quelqu'un tapait à la vitre avec une pièce de monnaie : en me retournant, j'ai vu l'Abricot, les yeux à demi-fermés par l'ivresse qui, à la manière d'un coléoptère aveugle et buté, venait cogner sa tête contre la vitrine de l'hôtel, ratant la porte ouverte d'un bon mètre sur sa gauche, mais toujours recommençant, reculant de quelques pas, avançant, se cognant, avec une régularité méritoire. Jos Sanglard, bon seigneur, s'est levé et, tout en ne cessant de me parler, l'a remis sur les rails. L'Abricot a franchi le seuil, s'est dirigé vers sa place accoutumée, comme par aimantation, où Jos lui a servi son galopin.

J'ai parlé à Jos de la femme silencieuse de la morgue, lui demandant si elle n'était pas l'épouse du commis.

« La femme de Spielstein ! Ah, vous en avez de bonnes ! La pauvre, elle se repose depuis huit ans, à six pieds sous terre... Vous n'êtes guère perspicace ! On le voit bien pourtant qu'il a une tête de veuf... À force de l'avoir pleurée, c'est comme si les larmes lui avaient usé la peau des joues... Enfin, elle a eu le temps de lui faire trois fillettes, des chefs-d'œuvre, de vraies petites images ! Un homme si laid, vous vous rendez compte ? Et puis après, après le dernier accouchement, le grand saccage, une maladie de ventre ! comme si quelqu'un lui faisait expier ce qui avait produit une trop grande beauté... Ça a duré trois mois, on aurait cru qu'elle avait un diable entre les cuisses, ou une bête qui lui dévorait l'entrejambe... Elle a souffert, vous pouvez me croire ! Enfin, c'est loin tout ça, il ne doit plus en rester grand chose aujourd'hui... Ah, au fait, le clerc de notaire est venu porter une lettre, tenez, excusez, c'est un peu froissé, mais je mets toujours les papiers sous mon maillot, une manie depuis mon service militaire... »

Jos m'a tendu une courte enveloppe d'un gris violine, immensément tiède, sur laquelle mon nom était tracé à l'anglaise. À voir la couleur si particulière du papier, j'ai ressenti un trouble indistinct, dont je ne me suis tout d'abord pas expliqué l'origine. Puis les lettres couchées se sont soudain effacées, et seule la pigmentation de la petite enveloppe m'est alors apparue, cette couleur si particulière qui était celle, à s'y méprendre, de la peau de Mme Franche, notre voisine du dessous.

Un traitement médicamenteux l'avait à trente ans guérie d'une forme rare de grippe asiatique et lui avait donné à tout jamais, comme souvenir de ces semaines où elle avait approché la mort, un peu de leur teinte funèbre. Sa peau avait viré au charbonneux, puis s'était de nouveau recolorée de rose, sans perdre néanmoins son fond d'encre diluée, ce qui avait fini par composer une nuance étrange qui donnait à son visage une sombre incarnation d'un violet profond. Son mari ne s'en était guère ému, proclamant haut et fort, dans tous les bistros, qu'il avait toujours rêvé d'exotisme, et qu'il avait enfin l'impression d'avoir dans son lit « une négresse des îles », « une belle fille du bout du monde ».

Dans ses heures de bonté, quand l'alcool

n'avait pas encore en sa tête ménagé sa sarabande de grelots fous et de mirages amers, il l'appelait « Mon oiseau mat », ou bien « Ma belette de la nuit », expressions qui selon moi ne manquaient pas de charme, et tous deux baguenaudaient enlacés dans les rues de la petite ville. Mais plus souvent, après sept litres du plus exécrable des vins blancs, et lorsque ses poings s'abattaient comme des grêlons de mars sur tout ce qui l'entourait, table, vaisselle, échine, armoire, épaule, d'autres expressions, plus prosaïques celles-là, « Bout noir », « Carogne en goudron », « Face de crasse », traversaient les cloisons et venaient jusqu'à nous, ma mère et moi, qui dînions l'un en face de l'autre, à deux doigts de la tourmente de ménage, juste au-dessus, séparés de la scène par un plancher disjoint, quelques poutres, une épaisseur de plâtre, un rien, un monde.

J'entendais les cris, les plaintes, les chocs durs et sourds, les gueulées d'ivrogne et les pleurs meurtris, et je regardais ma mère qui me regardait, grave, et nos yeux se perdaient à se chercher. Puis tout se calmait subitement. Une porte claquait. Des pas hésitaient dans l'escalier puis finissaient par s'y engouffrer. Et il y avait alors un grand silence qui me paraissait encore plus terrible que les hurlements qui l'avaient précédé. J'imaginais Mme Franche agenouillée dans un angle de sa cuisine. Des larmes ruisselaient sur sa peau de ténèbres. Au sol, les éclats de faïence cloutaient d'angles blancs le bois des lames de sapin.

« Chaque homme tue ce qu'il aime », ai-je lu depuis dans un poème anglais. C'est très joli comme formule, bien ciselé, cela résonne et donne à l'assassinat et à ses douleurs une manière de grandeur qui annonce la rédemption. Mais la poésie ne résiste pas à un front tuméfié, une lèvre fendue, un cœur qui tressaute de peur. Il y a trop de la vie aux mots.

Ma mère me disait de terminer ma soupe, puis elle descendait à l'étage au dessous, effleurait doucement la porte en appelant Mme Franche par son prénom, Rosalie, et la voix de ma mère me semblait alors être le plus doux des sons, propre à panser toutes les souffrances. Je ne savais pas ce qui se passait ensuite. J'allais me coucher, le sommeil me prenait lourdement, et dans mon lit arrivaient jusqu'à moi toujours les mêmes images, atroces et grotesques à la fois, de *Merlin l'en-chanteur* abattant, tout en formulant pour chacune des excuses polies, à la chaîne et d'un coup d'ins-trument asséné sur la nuque, des centaines de femmes qui toutes avaient les traits résignés et la peau violette de Mme Franche.

Le père Franche avait à peu de chose près l'âge de mon grand-père, cette ombre au visage flou, lointaine et pourtant aperçue chaque jour. Il sem-blait le connaître mais répugnait à m'en parler, se contentant à chaque fois que je tentais de le questionner, de me répondre par un grognement.

Ancien ouvrier de l'usine, il ne travaillait plus depuis qu'un wagonnet capricieux était sorti de ses rails pour lui fracturer la jambe gauche en de multiples endroits. «Rien que du fer là-dedans» se plaisait-il à dire en tapant sur son membre refait, et qui, toutes broches sonnantes, rendait un son métallique et creux. Dès lors, il épuisait sa pension d'invalide dans tous les cafés qui voulaient bien encore de lui. Et quand il n'était pas dans un débit de boisson à raconter pour la millième fois à des clients usés son accident de travail, sa vie épousait les courbes de la rivière sur les berges de laquelle il passait des heures à pêcher. Jamais je n'ai vu un si grand ivrogne à ce point amoureux de l'eau.

Très vite, je fus attiré par les instruments qu'il peaufinait dans la remise avec des soins de jeune amoureux : il reprisait lui-même, à l'aide de gros fil noir, les épuisettes et les filoches avec l'habileté d'une dentellière. Il liait les bambous blonds et passait sur eux un chiffon doux qui les faisait reluire comme des cuivres. Sous ses doigts, les fils de soie s'enroulaient au bleu forgé des hameçons à palette et les tiges pâles des balsas devenaient vite de pimpants bouchons noir et rouge, embaumant le vernis et la peinture. Je ne sais trop pourquoi j'avais trouvé grâce à ses yeux, lui qui, disait-on, détestait tout le monde. Était-ce à cause de la solitude de ma mère, de mon air de petit chiot malingre, d'une inclination originale de buveur irraisonnable ? Toujours est-il qu'il me prit sous sa protection et m'enseigna les ressorts d'une passion qui illumina mes jeunes années.

Chaque jour que Dieu faisait sans école ni obligation, je suivais le père Franche et son faisceau de gaules lié au cadre de sa mobylette. Dans une pétarade enfumée, nous partions en zigzag, moi sur le porte-bagages, coincé entre la boîte à pêche, deux litres de vin, et un fauteuil pliant. J'avais mal aux fesses, mal aux jambes, j'étouffais dans le panache bleu des gaz d'échappement, la poussière des routes encrassait mes yeux, parfois une cendre vive de la cigarette qui ne quittait jamais ses lèvres volait jusqu'à moi et me brûlait la peau des cuisses, mais je n'aurais changé ma place pour rien au monde.

Le père Franche avait ses coins, reculés ; nous y accédions après de multiples détours, faits à dessein pour tromper l'ennemi et les jaloux de tous poils. Dans les herbes hautes, nous nous faisions petits et silencieux, lui tirant l'engin au moteur éteint, moi le poussant, et quand la frontière des barbelés nous interdisait de l'amener plus loin, nous le camouflions sous des brassées de foin, et poursuivions notre route, harnachés comme des baudets, entre le chant des grillons et le bond des sauterelles.

Il avait une prédilection pour une anse profonde, ombragée de vieux saules têtards et où trois nappes de nénuphars donnaient à l'eau verte et lente un air de mariage. Les berges me paraissaient des falaises d'un ocre rouge au sein desquelles des trous noirs pareils à des bouches inquiétantes menaient au profond domaine des rats musqués. Nous sortions le matériel sans un bruit, montions les *gaules* et les lignes, choisissions les flotteurs en fonction du poisson espéré. Dans un grand seau de zinc, le père Franche composait ensuite l'amorce, selon une recette secrète qu'il m'avait promis de me révéler pour mes treize ans. La mort ne lui en a pas laissé le loisir. J'avais ordre alors de tourner les talons et, tout en admirant le lointain infini des champs de blé et de sainfoin agités par la houle de juillet, je l'entendais puiser un peu d'eau, malaxer longuement les ingrédients tirés d'une antique musette en toile, et pétrir de grosses boules qui, lorsque j'avais à nouveau droit de lui faire face, étaient disposées sur le sol herbeux en une pyramide qui exhalait de subtils parfums d'anis. Nous les lancions dans un grand festival de tir qui sonnait comme une canonnade éclaboussée. Puis la chaleur et le silence reprenaient l'avantage. La rivière refermait ses courants, les martins-pêcheurs griffaient sa surface de leurs pointes bleutées. Les lignes baignant dans les profondeurs, nous attendions.

Le père Franche sortait de l'eau quantité d'âmes vivantes qui frétillaient dans l'herbe, l'hameçon encore dans la gueule, avant d'aller rejoindre l'étroite prison maillée qui pendait à un piquet. Les goujons barbus étaient les premières victimes parce que les moins méfiants, attirés qu'ils étaient par le bruit de l'amorce et son brouillard sous-marin. Puis venaient les gardons aux nageoires d'un beau rouge clair, les brèmes gluantes et plates comme la main, les chevesnes nerveux, les carpes songeuses qui ne se rendaient qu'après d'âpres batailles. Parfois, une tanche se prenait au mirage, et ce poisson méfiant entre tous finissait par aller saluer ses congénères captifs après avoir frotté son ventre vert et or sur un lit de luzerne. Pendant tout ce temps, j'implorais saint Pierre, à prières réitérées et promesses peu catholiques, pour qu'un poisson, un seul, fût-ce un maigre et maladif alevin, daignât aliéner sa liberté sur ma ligne. J'espérais beaucoup, et quand le miracle se produisit un jour — je m'en souviens, c'était ce que nous appelions une *chiffe*, c'est-à-dire un hotu, poisson bécard au museau cartilagineux et au corps truffé d'arêtes —, ma foi n'en fut que plus vibrante.

Le soir même, ma mère et moi mangions la victime que je trouvais délicieuse malgré son odeur de vase et sa chair gommeuse. J'étais fier. J'avais ramené à la maison plus qu'un poisson, un repas, c'est-à-dire de quoi nous nourrir, assurer notre survie. J'avais ainsi l'orgueil d'un petit homme sous les yeux de ma mère qui mangeait l'abject poisson sans cesser de me sourire.

Mes étés se passaient ainsi, au bord de la rivière, dans la chaleur de journées solaires, aux côtés du père Franche dont le visage ressemblait à une viande sèche. Il parlait peu, crachait beaucoup, m'enseignait tout un monde. Mes petits bras peinaient à tenir l'immense canne en bambou qu'il m'avait offerte. Les orties irritaient mes pieds nus. Il faisait bon.

Sa femme parfois nous rejoignait. Elle lui apportait un litron frais roulé dans du papier journal, et pour moi, une gourde d'eau teintée d'un peu de vin. Nous buvions. Elle s'asseyait sans bruit dans notre dos, sur un pliant, et tricotait en silence des brassières et des gilets, des bonnets minuscules, d'infimes grenouillères roses ou bleues pour les enfants qu'elle n'avait jamais eus. De temps à autre elle s'arrêtait, fermait les yeux, rejetait son visage en arrière comme pour le perdre dans le grand ciel, et dans l'air soudainement chargé des premières odeurs de fruit, sous les ventres arrondis de beaux nuages blancs, sa peau prenait alors une couleur sereine.

Aujourd'hui, j'ai le regret de ce temps de

lumière, comme j'ai le regret d'indicibles émois. Je suis parvenu de l'autre côté de la vie, déjà, moi qui ne suis pourtant guère vieux. J'ai franchi le seuil du pays qui nous fait regarder derrière nos épaules ce que nous ne pouvons plus caresser, car nous savons devant nous une issue cendreuse. L'espoir a cédé devant la mélancolie. Les couleurs se fanent, comme les joues et les rires. Je ne peux recueillir les fleurs jadis entr'aperçues.

J'ai passé seize années comme un lâche au cœur mauvais, sans un mot griffonné, sans un signe, loin de celle que j'aimais, loin de ses yeux et de ses gestes, et de sa peine qui sans doute ouvrait en elle chaque matin une neuve blessure.

Je n'y puis plus rien.

Ma mère est morte et je n'étais pas là.

Elle est couchée dans sa robe aux bouquets de cerises, comme d'autres flottent depuis des siècles dans l'onde des ruisseaux.

Je ne peux qu'égrener les regrets, qui sont des manières de cailloux posés sur une route. Mais cette route s'efface aussitôt devant eux.

« Chaque homme tue ce qu'il aime » dit le poème anglais.

Une grande claque m'a labouré le dos. J'en ai eu le souffle coupé. Jos Sanglard me regardait de ses grands yeux inquiets.

« Vous m'avez fait peur ! J'ai cru que c'était la

faute du verre d'*Euskadi* ! Vous vous seriez vu... Quelle tête ! Un abonné absent ! Comme si vous étiez déjà un peu mort mais que vous ne vous en doutiez même pas... Ça va mieux ? Oui ? Sûr ? »

Il s'est levé pour me verser un verre de son eau la plus fraîche, qu'il m'a forcé à boire, puis s'est rassis à mes côtés.

« Remarquez, ça nous arrive à tous, ces petits vides... Moi, je me souviens, il y a quelques années, quand je m'étais aperçu que nous buvions avec l'hôtel un bouillon terrifique, un jour j'étais parti, sans rien dire, parti... Je ne savais même pas où je voulais aller, mais j'étais parti après le repas de midi. Mon idée, c'était de prendre un train. Je me disais qu'il fallait que je prenne un train, absolument. Allez savoir pourquoi, il y a peut-être de la promesse dans les trains, la promesse du mieux. J'arrive à la gare, sans valise, sans rien, je prends un billet, je ne saurais même plus vous dire pour où, et puis je vais sur le quai. J'attends. Je vois la grosse pendule, toute ronde, en face de moi, qui marque 14 heures 03, je m'en souviendrai toujours, 14 heures 03, et puis soudain, je ne sais pas trop pourquoi, je me rappelle une scène de mon enfance, une scène toute bête, et pas longue, coutumière, le père Sanglard, mon père, qui donne une volée de taloches à ma sœur, une grande bringue filasse de trois ans de plus que moi, toujours à vadrouiller dehors pour éteindre le feu qu'elle avait constamment au cul, pourquoi ça me revient en tête à ce moment-là, je n'ai jamais compris, mais j'étais à nouveau dans notre cuisine de jadis, j'en voyais tous les meubles, et chaque menu détail de chaque meuble, les entailles sur la grande table en chêne, l'angle rogné de l'armoire, le grillage du garde-manger, la cuisinière dont l'émail foutait le camp par plaques entières, et puis la lumière aussi, un peu jaune à travers les carreaux graisseux, et même les odeurs, le chou, ça sentait toujours le chou chez nous, c'est terrible l'odeur du chou, ça traîne des heures, on dirait une vengeance.. Donc, tout ça me revient en pleine poire, et je vois le père, sa grosse main de charbonnier, elle ressemblait à une carte d'état-major où tous les fleuves auraient été dessinés en noir, qui s'abat sur les joues de ma sœur, et puis ses cris à elle, bien nets, bien précis malgré les cinquante ans de distance. Il m'a semblé que j'étais à côté d'eux, que j'aurais pu leur parler, les toucher, retenir la main du père, ou foutre une taloche de plus à ma sœur qui était une vraie traînée et qui m'en faisait voir, et puis soudain, tout disparaît aussi vite que c'était apparu, et je me retrouve à nouveau sur mon quai, à attendre le train, et puis je regarde la grosse pendule, et là, vous me croirez si vous voulez, elle marquait 17 heures 20 ! J'étais resté l'après-midi planté là, comme un piquet, comme du bois mort, l'après-midi entière dans un souvenir de cuisine, un petit morceau du quotidien d'enfance, à regarder mon père et ma sœur qui étaient morts depuis longtemps... ça m'a tant troublé que je n'ai plus voulu prendre de train. Je suis rentré à l'hôtel, direct ! Ma femme m'attendait, et pas avec un sourire, vous pouvez me croire ! Je ne lui ai rien dit, qu'est-ce qu'elle aurait compris à tout ça ? Et puis les années ont passé.. Je n'ai jamais recommencé. Foutre le camp, attendre des trains sur des quais, si c'est pour revenir dans un temps que j'avais fui à grandes enjambées, ça ne valait pas le coup ! J'ai accepté ma croix... »

Dans le ciel qui virait à la nuit, de rares étoiles tentaient leur chance entre des pelletées de nuages sombres. La femme de Jos avait fini par émerger de son sommeil. Les coups de balai assénés sur le sol de sa chambre avaient fait monter son époux aussi vite qu'un dirigeable. Nous étions demeuré un moment, l'Abricot et moi, dans un grand silence, et puis j'étais sorti, sans qu'il ne s'aperçoive de rien.

L'air frais m'a fait du bien. Ma tête me faisait mal, de trop penser, ou d'avoir un peu bu. Je n'avais pas besoin d'ouvrir l'enveloppe du notaire pour savoir qu'elle contenait la clef du logis de ma mère, ainsi peut-être qu'un mot de condoléances. En dehors de cela, quoi d'autre ? Ma mère n'avait rien à léguer, sinon des douleurs et des vides, et au profond de moi, des remords semés à foison.

J'ai marché au hasard des rues. J'ai croisé des figures harnachées comme des pêcheurs bretons.

On entendait partout, sans la voir, le clapotis sourd de l'eau qui gagnait encore du terrain et se risquait avec frénésie dans des lieux où d'ordinaire elle n'avait pas droit de cité. Je ne me sentais pas la force de revenir vers la maison de mon enfance, pas encore, pas ce soir. Quant à celle de mes grands-parents, où je n'avais jamais pénétré, elle avait été rasée depuis bien longtemps, je ne sais au juste pourquoi, peu de mois après leurs morts qui eurent lieu toutes deux à une saison de distance. J'avais douze ans. Une friche laborieuse avait gagné l'endroit. Un paysan y laissait parfois se fatiguer quelques moutons.

Tandis que j'allais ainsi, hésitant, de sous le porche d'une grande bâtisse abandonnée a surgi l'enfant des rues, le petit fantôme, avec sa tignasse crasseuse, son mauvais pull, ses genoux écorchés et son visage d'ombre. Il m'a regardé. Je l'ai entendu rire et puis il s'est mis à courir en hurlant quelque chose qui, j'en jurerais, ressemblait à mon nom. J'ai tenté de l'appeler, de le retenir, et je me suis mis à le suivre en courant moi aussi, me guidant au bruit de ses galoches qui tapait le sol et les pavés. Il me semblait que lui seul aurait pu me révéler une vérité dont je me croyais dépossédé, ou bien encore calmer une rancœur, une amertume que je sentais grandir en moi. De partout me parvenaient le bruit de ses pas et l'écho de ses rires. Tout bourdonnait. Je ne le voyais plus. Des passants me lançaient des regards singuliers. Je me suis arrêté.

J'étais sur une placette bordée de tilleuls taillés très court. C'était là que jadis, le jeudi, avaient lieu les marchés. Les autres jours, elle me semblait toujours morne et comme triste, alors que le jeudi, empanachée dans les couleurs vives des parasols, les fumées des vendeurs de saucisses et les réclames vociférées sur tous les tons par les commerçants ambulants, elle semblait renaître.

Dès que je fus en mesure de porter quelque poids, je vins à l'aube de chaque marché vendre mes maigres services à celui qui en voulait.

Malgré mes forces chétives et mes neuf ans, je fus copieusement exploité tour à tour par un marchand de disques d'ambiance, un vendeur de fruits et légumes, un démonstrateur en produits d'entretien — *La pâte Cédlor, je vous le dis Mesdames, transforme vos casseroles en or !*

Pour chacun d'eux, il s'agissait de faire la même chose : décharger une camionnette, le plus souvent percluse de rouille et repeinte d'innombrables couches, monter les parasols délavés par les pluies et les soleils, étaler la marchandise, appâter le chaland par des formules séduisantes que nous braillions à tous les passants. Et puis, midi venu, ranger le tout. La matinée se passait ainsi dans la vocifération d'orchestres munichois usant à n'en plus finir le répertoire teuton du piano à bretelles — « *En Bavière, mon grand-père, était un brasseur de bière, etc.* » —, quand il ne s'agissait pas, vers les onze heures, lorsque l'apéritif rendait les âmes langoureuses, du déhanchement hispanique de *pasos dobles* fiévreux et de tangos suaves. Tout le marché était saoulé de cette musique qui jaillissait de 33-tours aux pochettes ornées de grosses vaches à clochettes, broutant dans des pâtures alpestres, ou bien de jeunes filles à tresses blondes, en costumes traditionnels, tous seins dehors. Malheureusement, mon employeur disparut un jour, et le marché devint moins musical. Les mauvaises langues le dirent emprisonné pour quelque affaire louche. Je n'en sus jamais rien, et jamais ne revis le grand Gaston, comme on l'appelait, qui avait une tête de demi-lune illuminée par un long nez constellé de cratères, et un chapeau à plumet de blaireau.

Je me retrouvai au chômage. Mais nous étions alors dans une période de plein emploi et deux semaines plus tard, je passais de l'accordéon au concombre.

Les Capriccio étaient des Piémontais arrivés dans la région cinquante ans plus tôt. Depuis ce temps, la famille s'adonnait au culte des primeurs qu'ils servaient du mieux qu'ils pouvaient, âprement, et avec le souci essentiel du gain. L'étal était immense. Ils étaient six à officier, femmes et hommes, et le grand-père, premier de la lignée, surveillait la manœuvre et les encaissements dans un étrange fauteuil en osier qui avait la forme d'un paon faisant la roue, tout en lâchant avec une régularité métronomique des flopées de pets sonores, sous le regard désapprobateur du fils aîné. Tous se parlaient en italien. Je n'y comprenais goutte.

Mon travail consistait une fois encore à sortir les cageots pleins du camion, et à y rentrer les vides. Les clientes se succédaient. Je n'avais pas une minute de repos. Le vieux Capriccio me jetait parfois de son fauteuil un air désolé, comme s'il avait vu un oiseau mouillé tombé du nid, tandis que je peinais sous le poids d'une caisse de pommes de terre ou d'une claie de melons. « *Piccolo, troppo piccolo...* », murmurait-il, chevrotant, la mâchoire constamment tremblante. Il ne disait jamais autre chose. Ce sont les seules paroles qui m'étaient adressées en ces matins qui sentaient le céleri, le basilic, la tomate, et le bois frais des cagettes. C'était la seule marque qui me prouvait que j'existais un peu. Pour le reste, notamment au moment du somptueux casse-croûte de dix heures, pendant lequel toute la tribu se restaurait de cochonnailles et de pain bis, on m'ignorait. Je n'eus pas droit à une rondelle de saucisse en un an.

Je les quittai un jour, bien heureux, sans les prévenir, séduit par la prestance et la distinction de

Monsieur Wladimir Pawelski, Monsieur *Cédlor*, comme on l'appelait aussi.

La première fois, ce fut comme badaud que je l'approchai. La pâte à reluire qu'il vendait avait la couleur verdâtre des mares à grenouille et l'odeur difficile de pieds mal lavés. Mais le boniment de son vendeur et sa classe naturelle faisaient oublier ces détails annexes. D'autant que les résultats, casseroles à l'appui, paraissaient spectaculaires, et que le cadeau offert pour tout achat de cinq tubes de pâte, un pot du fameux *Onguent des steppes*, propre à soulager les cors aux pieds et les fluxions de poitrine, finissait par emporter l'adhésion des ménagères les plus timorées.

Ayant remarqué que j'avais passé la matinée entière à écouter, bouche bée, son bel argumentaire, Monsieur Pawelski m'adressa la parole puis m'invita à la terrasse du Bar du marché, où il me paya un sirop d'orgeat. Quant à lui, il se désola lorsque le garçon, éberlué, ne put honorer sa commande — « une coupe de Krüg 1929, bien frappé, mais pas glacé... ». Il prit finalement un *Dubonnet*. « Ce paysan n'est jamais sorti de son trou, me dit-il en parlant du serveur, tout passe, tout s'efface... » Pendant près d'une heure, il m'entraîna dans les sentes de sa vie, me grisant de noms compliqués, de tribulations européennes et asiatiques, de portraits de femmes, de pierreries et de mitraille. Tout cela était un peu compliqué, mais je finis par retenir que Monsieur Pawelski, descendant d'une famille de la plus haute noblesse de Pologne avait été élevé au Krüg 1929, avait joué avec la progéniture de la plupart des têtes couronnées, s'était retrouvé clandestinement en Suisse après le massacre de sa famille par les bolcheviques, emporté dans une malle par une nurse, rousse et anglaise, avait dilapidé quelques années plus tard le reste de sa fortune en fêtes somptueuses sur le bord du Léman, s'était lancé dans la carrière des armes, puis avait exploité une mine d'or dans la jungle birmane, était devenu importateur d'animaux sauvages pour le plus grand zoo des États-Unis d'Amérique, meneur de revue au casino d'Ostende, architecte particulier du Grand-duc du Luxembourg, précepteur des enfants de la comtesse Ivanovna Smétevskaïa, apparentée au dernier des tsars, pour finir, les enfants étant devenus grands, par découvrir la pâte *Cédlor* ainsi que l'*Onguent des steppes*, et d'en faire profiter ses miséreux congénères dans un souci de mansuétude dont la papauté lui avait tenu crédit.

J'étais étourdi. Monsieur Pawelski termina cul sec son *Dubonnet*. C'était un grand poète. Il appela le serveur et lui glissa, du bout des doigts, un billet plié dans une poche de son gilet, tout en lui disant : « Personnel ! » L'autre le regarda de ses yeux de veau. Nous nous levâmes. Monsieur Pawelski me prit par l'épaule, nous marchâmes un peu. Il me proposa soudain de devenir son *assistant*. Le mot me ravit. Rien que pour ce prestigieux vocable, je crois que j'aurais accepté de travailler gratis. Mon nouvel employeur ne me paya pas plus d'ailleurs que mes précédents négriers, ma matinée se soldait par une pièce de cinq francs, mais contrairement à eux, il me donnait du rêve à foison, lorsqu'il me dévoilait des épisodes inédits de son existence, entre deux démonstrations durant lesquelles, face à un parterre de femmes attentives, il transformait une casserole carbonisée en un soleil resplendissant. Il me donnait de l'*assistant* à n'en plus finir — « comme vous le montre mon assistant... ainsi que le présente mon assistant... mon assistant vous remettra... merci de donner à mon assistant... » — ce qui me gonflait d'une fierté de jeune coq. Je préparais les casseroles, tendais les chiffons, étalais la pâte, montrais les tubes, encaissais la monnaie, distribuais les cadeaux. Le travail n'était guère fatigant. J'étais devenu quelqu'un. Je côtoyais chaque jeudi un homme qui, à vingt ans, avait renoncé par amour pour une danseuse bulgare à épouser l'héritière du trône de Suède. Cela marque à jamais.

Notre collaboration aurait pu durer longtemps. J'attendais le jeudi avec l'impatience des jours de fêtes. C'était ma grande récréation. Monsieur Pawelski valait mieux qu'un livre, et un livre n'offre pas chaque semaine un sirop d'orgeat.

Hélas, il a fallu qu'Albert Mengou, le boucher, fût subitement malade des poumons, et que par malheur sa femme eût acheté un mois plus tôt cinq tubes de *Cédlor* bénéficiant donc ainsi en cadeau de l'*Onguent des steppes*. Appliqué sur les pieds, le fameux onguent, dont mon maître tenait à préciser que la recette, secrète, lui avait été transmise par un vieux guérisseur moghol, restait inoffensif; à peine avait-on la vive et brève sensation d'avoir foulé des charbons ardents. Mais personne n'avait encore essayé de s'en pommader le torse.

Quand je vis le boucher en tenue fondre vers notre petite estrade, je compris qu'un drame se préparait. Il fendit l'assemblée des femmes et, parvenu devant Monsieur Pawelski, se planta devant lui, les naseaux fumants : « Regarde, fumier, ordure, tueur ! » hurla-t-il alors tout en écartant son tablier et en déchirant d'un coup sec sa chemise. Le spectacle était saisissant. Sur ce qui avait été deux pectoraux d'une taille honorable proliféraient désormais des manières de microscopiques bubons garance se frayant un chemin entre des gerbes de poils noirs. Ce n'était plus humain. La poitrine était à vif. Elle exhalait de plus une pénible odeur faisandée qui prenait à la gorge. Le boucher montra cela à l'assistance. Ce ne fut qu'un grand cri d'horreur. Quelques femmes s'évanouirent. Beaucoup se masquèrent les narines d'un blanc mouchoir. Certaines, plus perverses, voulurent se pencher pour examiner l'infection.

Albert Mengou fulminait. Monsieur Pawelski suggéra que la posologie avait été peut-être témérairement dépassée...

Par une heureuse légèreté, la colère avait fait oublier au boucher ses couteaux dans sa boutique. Il y avait donc un dieu pour les vendeurs de *Cédlor*. Il se rabattit sur ce qu'il trouva, c'est-à-dire les casseroles, celle *avant utilisation* de la pâte, au fond croûté, noir et ténébreux, l'autre *après utilisation*, resplendissante et dorée. Une dans chaque main, le boucher se découvrit, sur le tas, une vocation de percussionniste. Encouragé par les hurlements des mégères, il ne s'arrêta pas au premier sang, poursuivant son martelage frénétique jusque ce que Monsieur Pawelski fût à terre, inerte, le crâne bosselé, la lèvre tartare. À la suite de quoi, Mengou termina son œuvre en réduisant l'estrade et son auvent en de menus lambeaux. Le public féminin applaudit. Il salua, modeste, reboutonna sa chemise, et s'en alla.

Les femmes nous abandonnèrent non sans jeter sur nous des regards aigres. Wladimir Pawelski revint à lui, les paupières gonflées et l'œil rouge. Je lui avais apporté un peu d'eau. Je l'aidai à se relever. Ses vêtements étaient déchirés. Il sanglotait un peu, me regardait pour ainsi dire sans me voir. «Les gens sont ingrats» murmura-t-il. Par bonheur, le boucher avait épargné le véhicule du Polonais. Il y monta, regarda l'étendue du désastre, secoua la tête, puis me dit : « Méfie-toi des rêves, petit, et surtout, n'en fais jamais commerce... »

Il m'a fallu bien des années pour comprendre cette phrase.

Le marché n'était plus qu'un désert où les détritus, les papiers et les cageots vides formaient comme des buissons. Monsieur Pawelski démarra, le moteur émit quelques protestations et un nuage fuligineux. Il partit en agitant sa main, longtemps. Je fis de même, jusqu'à ce que la vieille voiture disparût. Je savais que je ne le reverrais jamais.

Du temps passa. Je terminai ma jeune carrière de travailleur intermittent auprès d'une dame délicieuse dont le commerce offrait plus de tranquillité. Madame Julie, « la belle Julie », disait-on, proposait au beau sexe les frivolités et les lingeries fines qui faisaient, assurait-elle, fureur à la capitale. Mon emploi était de tout repos, le poids du satin et des fanfreluches n'équivalant pas à celui d'une caisse de betteraves, et les marchandises vendues ne transformèrent jamais personne en scrofuleux. Madame Julie me payait le double de mes précédents employeurs, prenait soin de moi, m'offrait pâtisseries et café chaud, me couvait comme une mère, mais une mère désirable, dont la poitrine tendue et le fessier solide, me procurèrent, et j'en fus sur le moment effrayé, mes premières *émotions*.

À la seconder chaque jeudi, je devins incalable sur le confort des balconnets, la taille des bonnets, les différentes formes d'agrafes, le réglage des bretelles, les noms des couleurs, *nuage, saumon, fumée, perle, amande, topaze*, les culottes englobantes, les corsets avec armature, sans armature, les combinaisons, les nuisettes, les jarretelles, les caracos, les bas de toutes sortes. Le mot *panty* m'affolait rien qu'à le prononcer. J'écoutais des dames me parler sérieusement de leur forte poitrine et me demander conseil, du haut de mes douze ans, sur le soutien-gorge à choisir. Je leur répondais tout aussi sérieusement et leur vantais les mérites du modèle *Hyperlacta*, avec structure renforcée, suspension active et double couture. Elles m'invitaient dans leur intimité. Mes doigts touchaient des étoffes qui caresseraient leurs seins, leurs hanches, leurs cuisses. Mes yeux s'ouvraient un peu. Je grandissais.

Madame Julie osait les rouges à lèvres écarlates et les rimmels obscurs. Ses jupes n'arrivaient que rarement à ses genoux. Elle portait de petits pulls moulants. Il m'arrivait de la frôler. Sa bouche sentait la citronnelle et l'angélique confite. Elle avait un très beau sourire. Elle fut la première femme qui me troubla. Je l'espère aujourd'hui en un beau paradis.

Revenu à la maison, je posais bien en évidence le salaire du matin sur la table de la cuisine où nous allions manger. J'étais heureux. Il me semblait contribuer à la marche du foyer. J'apprenais mon métier de petit homme. Je pensais à mon père, près de son avion, à son rire. J'aurais aimé qu'il puisse me voir.

Nous n'étions pas riches. Ma mère réussissait à nous faire vivre, sans excès. Notre petite ville comptait une bourgeoisie industrielle qui avait ses rues, pas plus de trois en fait, calmes et propres, ses maisons, vastes, à pignons, toits d'ardoise et entourées de jardins clos de grilles, ses lieux, les courts de tennis à la cendrée pourpre, une salle de bridge et de couture dont les baies vitrées donnaient sur les cheminées de l'usine, ses bancs réservés à l'église, ses belles limousines aux chromes lustrés, ses enfants, qui sentaient le lait de soin, le parfum et les manières exquises, pas comme nous autres qui traînions les rues et les champs, ramassant les odeurs des feux et des arbres.

Jamais ces gens ne se mêlaient à nous. Nous marchions sur des terres différentes. On ne nous regardait pas. Ma mère travaillait pour eux. Parfois, lorsque j'étais petit, je l'avais accompagnée dans ces demeures où le son d'un piano glissait sur les boiseries sombres et les tapis profonds. Ma mère m'asseyait sur une chaise. J'avais ordre de ne pas bouger. Des heures passaient sur les cadrans de cartels compliqués. Je regardais autour de moi. Il y avait des meubles rares dont je ne savais pas l'utilité, des tableaux accrochés aux murs, de la vaisselle présentée sur des étagères, des chiens peignés et qui ne jappaient pas.

Ma mère courbée recevait les ordres de femmes minces et souvent blondes, qui affichaient des sourires mécaniques, distraits, et nous surveillaient en biais. Je me souviens que l'une d'elles nous faisait vider nos poches, à ma mère et à moi, quand nous repartions. Une autre nous appelait ses « chers enfants », nous disait que nous étions ses « soleils de la semaine », tentait d'afficher de l'amitié pour ma mère, de l'affection pour moi.

Je les haïssais toutes deux d'une haine sortie du ventre, une haine qui n'avait guère de fondement. Après tout, c'était bien grâce à elles que nous vivions, et l'argent gagné à récurer des toilettes et repasser des chemises n'est pas le plus méprisable.

Souvent mes sentiments m'ont trahi. Je me perds dans leur complexité. J'ai commencé fort jeune.

La nuit était définitivement tombée, sans tapage, mais comme un poing.

Il est des lieux, dit-on, où souffle l'esprit. Et d'autres où s'agite un vent qui glace le corps si l'on s'y attarde. C'était un peu le cas, sur la petite place du marché.

La ville baignait toujours dans l'odeur de vase un peu sucrée des grandes inondations. Les rires de l'enfant des rues avaient depuis longtemps perdu leurs échos dans les pierres des murs, et je me sentais las, le ventre creux et l'âme bien fragile. Malgré tout, je n'avais pas envie de retrouver trop vite les papiers peints passés et leurs biches hésitantes de ma chambre d'hôtel. Demain, on enterrait ma mère. Je craignais les fantômes.

J'ai continué mon chemin jusqu'à la première enseigne allumée, celle d'un café étroit, *Le Cocagne*, tout en longueur, dans lequel j'étais le seul client et où flottait une odeur de soupe. Le patron avait à peu près mon âge, et trente kilos de plus. Il marchait avec des finesses de danseuse malgré son poids d'obèse. Au mur pendaient quelques calendriers hors d'âge où des majorettes levaient haut le bâton et la cuisse tandis que sur d'autres des pompiers incendiés par leur repas annuel tenaient la pose en chœur, rougeauds, goguenards, devant leurs camions et leurs grandes échelles.

« Vous prendrez ? » m'a demandé le patron, l'air aimable, souriant de ses yeux bleus qu'il avait aussi précisément dessinés et bordés de grands cils que ceux d'une poupée *Jumeau*.

Que pouvais-je prendre à cette heure ? Le large, la poudre d'escampette, mes désirs pour des réalités, racine, la clé des champs, une bonne claque, de l'âge, tout simplement... ?

J'ai fini par me décider pour l'*Assiette du chasseur* et un quart de rouge.

Le patron et son visage de saindoux ont disparu plusieurs minutes dans l'arrière-salle. Et puis une petite fille avec des rubans dans les cheveux est venue avec un grand plat sur lequel des tranches de tomates pâles entouraient d'étranges charcuteries. « Je les fais moi-même », a tenu à me dire le patron d'un air satisfait en posant devant moi le pain et le vin. L'information se voulait rassurante. Il a poursuivi en m'annonçant : « Je sais ce que je mets dedans, c'est moi qui tue ! »

Ainsi j'avais encore devant moi un tueur, un de plus. Décidément, la terre n'en manquait pas, nous étions bien nombreux, même si nos gibiers étaient différents.

J'ai toujours détesté les chasseurs. Posséder de très beaux yeux bleus, des manières urbaines, et être le père d'une fillette charmante ne changent rien à l'affaire. J'ai repensé aux biches de la chambre d'hôtel, et le dégoût m'est venu, en vagues puissantes qui m'ont soulevé le cœur. Quantité d'animaux morts se sont soudainement entassés sur ma table, encore chauds de vie, les cous de fourrures ou de plumes perlés de gouttelettes de sang qui s'écoulaient jusqu'à moi par de menus sillons. Des mains sans corps les jetaient en ricanant pêle-mêle sur ma table, à pleines brassées. Ils se cognaient les uns aux autres dans leur bruit de chair lourde. Puis, après un répit qui m'a paru protocolaire, une main énorme a brandi la dernière proie, blanche, gracieuse, plus fragile encore que toutes les autres victimes innocentes qui l'avaient précédée, et a fini par la lancer. Elle s'est couchée sur toutes les autres. Elle les a recouverts. Elle ne portait trace d'aucune blessure. Elle souriait un peu dans la mort. Elle était nue. C'était ma mère.

J'ai renversé la table. J'ai entendu des bris de vaisselle, senti une odeur de vin répandu. Il y avait la petite fille et son père devant moi, qui me regardaient tous deux sans comprendre. J'ai hurlé des insultes, les ai traités de tous les noms du Diable et surtout de beaux salopards. La petite s'est bouché les oreilles et s'est mise à pleurer. Le patron m'a pris par les épaules et m'a foutu dehors, sans ménagement, malgré ses beaux yeux de poupée en porcelaine.

Il pleuvait à torrent. J'ai repris mes esprits. Mes mirages sont partis dans le caniveau rejoindre des eaux moins usées qu'eux. J'avais froid. Je me sentais soudain très fragile.

Lorsque je suis arrivé à l'*Hôtel de l'industrie*, la salle de restaurant était plongée dans la pénombre. Jos Sanglard dormait la tête posée sur ses coudes repliés, près de son bar. Sa femme était là, dans son chariot et dans la nuit ; elle le regardait avec une tendresse que je n'aurais jamais soupçonnée chez elle. Elle était à quelques pas, les mains posées sur ses genoux. J'allais lui adresser le bonsoir quand elle m'a arrêté d'un sourire en mettant un doigt devant ses lèvres et en me désignant du menton le colosse endormi. Les autres ne sont jamais ce que l'on croit. Elle ressemblait à une jeune mère veillant son nouveau-né. Sous le vacillant éclat du réverbère qui s'aventurait jusqu'à nous, tous deux composaient une sorte d'image pieuse à laquelle il ne manquait plus guère qu'un peu de foin et quelques bêtes pour la rendre tout à fait divine et résolument poignante.

Je les ai quittés sans bruit. Il était tard.

Il est souvent trop tard.

J'ai peiné à trouver le sommeil. Ma morne existence ponctuée par un travail des plus communs ne m'a jamais habitué à pareil tourbillon. Je me surprenais à revenir en arrière, dans ma vie et mes souvenirs, moi qui m'étais fait serment de ne poser mon regard que vers l'avant des choses, leurs promesses. Tout cela me procurait une singulière impression, où le bonheur de revoir des visages que je croyais enfouis sous le terreau des jours se tempérait de l'amertume du temps passé qui ne reviendrait plus. Rien que de très banal en somme. Chaque homme connaît cela au cours de sa vie, mais chacun d'entre nous se persuade de l'éprouver plus intensément que tout autre.

Il a fallu que ma mère meure, que ma mère meure loin de moi, abandonnée par son fils pour que, malgré moi, j'emprunte de nouveau les chemins d'autrefois. Ils ont vieilli un peu. Leurs sentes disparaissent sous les arceaux de ronces, les herbes hautes qu'une rosée ploie jusqu'à terre, les pelletées de feuilles défuntes. Il me faut jouer des mains, me griffer un peu, briser quelques branches qui font un curieux bruit sec pour découvrir, écartant d'une main mélancolique les couronnes gercées de grandes ombellifères, les roses anciennes, redevenues sauvages. Elles sont là, aussi inéluctables qu'une trace de baiser ou que la statue de Commandeur.

« Demandez-vous pourquoi votre mère est morte ! » m'avait dit le curé. Cette question n'a cessé de me tarauder, une fois les draps tirés sur mes épaules et ma journée d'errance.

Par ma faute, mon Père, uniquement par ma faute, je le confesse. Ma mère est morte par moi, cela est sûr. Comment pourrait-il en être autrement ? J'ai depuis seize années endossé les habits de fils indigne. J'ai vécu loin de celle qui m'avait donné le jour avant de tout me sacrifier. Elle qui fut la plus parfaite des mères, je l'ai laissée un matin, partant comme un voleur à la petite semaine, sans un mot griffonné, sans une explication, à peine une colère. J'ai tiré une porte et un trait. Je me pensais grandiose, immensément mâle. L'orgueil a fait le reste. Puis la gêne a pris le relais, ainsi que la jeunesse oublieuse, l'usure des jours qui creuse les désirs aussi sûrement que l'acide, et qui fait qu'il est de plus en plus malaisé de tendre de nouveau la main, de pousser une porte, de dire un nom.

Maman s'appelait Éliséa. C'est un beau prénom, Éliséa. Je l'ai toujours aimé ; tout d'abord parce qu'il est rare ; ensuite parce qu'on le croirait inventé par quelque romancier grisé par des alcools majeurs ; et puis aussi parce qu'il me fait songer à ce royaume où les Anciens plaçaient

116

leurs morts, entre les ombres myrrtheux, les grandes allées de cèdres et les fontaines chantantes. Éliséa... Maman était allée jusqu'à le répudier ce prénom, que père et mère lui avaient donné. Elle se faisait appeler Lise, tout simplement, Lise, un point c'est tout. Et j'avais ordre de n'écrire que cela, sur les formulaires de l'école, les lettres que je lui envoyais de colonie. Je le faisais, j'écrivais Lise, mais dans ma tête, dans un silence qui devenait une musique de buccins et de luths, une manière de musique d'anges, je criais Éliséa, Éliséa...

Ma mère est morte de ne m'avoir plus entendu.

J'ai navigué dans le sommeil comme on se perd dans les entrailles du monde. Pourtant je n'avais pas bu, mais j'étais ivre du plus mauvais des vins, celui que le remords vendange. Heureusement, le sommier exténué de mon lit me ramenait par ses grincements à de rugueuses préoccupations. On a tôt fait de se croire un héros, fût-il celui d'une histoire du malheur quotidien. Il est bon après tout que les choses nous ravalent au rang que jamais nous n'aurions dû quitter, celui des poids morts, des bêtes éreintées, des lutteurs sans triomphe.

Dans la nuit, la voix d'une femme m'a appelé en hurlant, à trois reprises, je le jurerais. Je ne connaissais pas la voix, mais elle, me connaissait, qui savait mon prénom et le criait dans les ténèbres, tout en riant. Puis le silence a repris l'avantage, comme un monarque digne. Les calmes des grandes heures qui précèdent l'aube m'ont roulé dans leur houle. Je n'étais plus moi-même, j'appartenais aux songes.

C'est ainsi à demi que se passent nos vies.

« Vous allez me manger ça, non, non non...
interdit de refuser, des jours comme ça, il faut
pas flancher, et le ventre vide, c'est le plus sûr
moyen d'aller aux pommes ! »

Jos a posé devant moi une assiette d'œufs et de
lard frits, du fromage, un gigantesque pain, et un
pot de café fumant. « Allez-y franchement, c'est
tout nature... »

Le café avait un goût d'enfance, amer, aux parfums de chicorée. Il laissait sur les lèvres un hâle
brun. Le bol en faïence me brûlait les doigts. Jos
me regardait tout en balayant la salle et en y répan-
dant de la sciure. « Une vieille habitude, m'avait-
il dit, mais de nos jours personne ne crache, c'est
mal vu... »

Je sentais dans ma poche la petite clef que le
notaire m'avait envoyée. C'est tellement bête de
s'attacher aux choses. Une clef n'est rien d'autre

qu'un morceau de métal, mais celle-là ouvrait bien plus qu'une porte.

« Quelle nuit ! Vous l'avez entendu la vieille folle gueuler le nom de son fils ? Moi, je me suis dressé dans mon lit, pourtant j'ai l'habitude ! Cette manie... Le pire, c'est qu'on ne peut pas la foutre dehors, ce ne serait pas humain... Vous savez qu'on nous l'a vendue avec les murs, elle était pour ainsi dire comprise dans le prix ! On ne l'a pas remarquée tout de suite, personne ne nous avait prévenus, c'est la première nuit, notre première nuit de propriétaires qu'on s'en est rendu compte, j'ai cru qu'on égorgeait quelqu'un, et puis je l'ai découverte, dans un coin de sa chambre, elle ne la quitte jamais... on lui amène un peu de nourriture, on la laisse devant la porte, elle la touche à peine... Les gens ensuite nous ont raconté son histoire, une histoire triste, bien banale, à l'image de la vie. Elle était serveuse ici. Un enfant sans père, dans ce métier-là où on ne voit que des hommes et plutôt des dessalés, c'est vite attrapé ! Elle a eu son petit, comme d'autres, mais il n'a pas duré longtemps, le sien. Un soir, après le travail, elle l'a retrouvé tout bleu, absolument mort, ce sont des choses qui arrivent... Il paraît qu'elle a été très courageuse, qu'elle n'a pas voulu s'arrêter de travailler un seul jour, et que dans la salle pour le service, à la voir rire, on n'aurait jamais cru qu'elle venait d'enterrer son petit. Il y a même eu des mauvaises langues, comme toujours dans ces cas-là, qui sont allés dire qu'elle l'avait peut-être même un peu aidé à mourir son enfant. C'est plein de fiel les hommes, vous savez bien... Mais c'est seulement bien plus tard, des années après qu'elle a commencé à débloquer, et à l'appeler la nuit, et même parfois le jour, son enfant. Et puis l'âge venant, Léone — Léone, c'est son nom — c'est comme si elle s'était enfermée dans sa folie. Quand je passe devant sa porte parfois, je l'entends lui parler, oui, oui, croyez-moi, elle lui parle à son fils, non pas comme à un tout bébé, mais comme à quelqu'un de trente ans et plus, un peu comme si son gamin mort avait continué à grandir en elle, et qu'il soit devenu un homme maintenant... Vous en revoulez un peu du café ? »

J'avais préparé trois enveloppes sur la table, une pour le curé, une autre pour les employés des pompes funèbres qui porteraient le cercueil, et une dernière pour le fossoyeur. Jos les a remarquées : « Pour les croque-morts et le curé, pas de problème, ils les boiront vos sous... c'est la coutume, mais la troisième, vous pouvez vous la garder, ça fait bien longtemps qu'il n'y a plus de fossoyeur ici ! D'ailleurs, de nos jours, ça ne doit se trouver que dans les romans ces gars-là, et encore... Chez nous, Spielstein a tout mécanisé, c'est lui qui creuse avec la petite pelleteuse qu'il a au cimetière, en deux coups de cuiller à pot, c'est réglé, tout propre... »

D'autorité, Jos s'est attablé en face de moi. Il attaquait son premier verre de blanc, le premier *clandestin*, c'est ainsi qu'il nommait les canons bus dans le dos de sa femme. Je voyais bien qu'il avait encore quelque chose à me dire, mais je le sentais mal à l'aise ; finalement, après avoir sifflé une bonne rasade, il s'est lancé : « Vous ne m'en voudrez pas, mais j'ai jamais pu aller aux enterrements, j'aurais bien fait ça pour vous, malgré qu'on se connaisse à peine au fond, ça m'aurait fait plaisir quand même, vous avez une bonne tête, mais c'est plus fort que moi, je ne peux pas approcher les morts, j'ai toujours l'impression qu'ils vont m'emmener avec eux, c'est bête, hein ? »

Non, avais-je envie de lui répondre, ce n'est pas plus bête que de croire qu'ils sont en paix, à jamais défaits des malheurs du monde et de nos soucis, qu'ils veillent sur nous, ou dorment d'un sommeil sans fin. On peut dire et croire tellement de choses. Le problème, c'est qu'on a tous de bonnes raisons de le faire. Je n'ai rien dit. J'ai regardé Jos bien dans les yeux, il a levé son verre, comme pour trinquer, et je lui ai souri.

Une délégation municipale dressait au-dehors le bilan de l'inondation qui n'en finissait pas de vouloir noyer la ville. Les édiles courtauds s'empressaient autour d'un freluquet à costume, gilet et cravate, venu de la préfecture pour considérer le phénomène. Toute cette assemblée parlait fort et pataugeait en bottes. La discussion paraissait âpre. On la suivait des balcons environnants.

La ville s'installait définitivement dans son fumet de lagune. L'odeur de la vase fouettait l'air qui en devenait davantage sucré et écœurant. Le ciel, d'un gris bas et tendu, ne voulait pas en démordre. On se déplaçait maintenant dans la rue en marchant sur de larges planches posées sur des parpaings. Sous les pieds, on voyait filer de minuscules alevins affolés de nager au-dessus d'un lit d'asphalte.

Le banc en face de la morgue était vide. Spielstein m'a ouvert lui-même la porte d'un air cérémonieux. Il m'a serré gravement les mains, et s'est incliné pour me laisser passer. À l'intérieur, on entendait un concert discret de flûtes et de hautbois. Le commis m'a précédé dans le funérarium. Non loin du cercueil dont le couvercle reposait contre un mur deux policiers en tenue discutaient assis près d'une petite table. L'un tirait les cartes à l'autre qui l'écoutait, la mine préoccupée. Ils avaient poussé le goupillon et le seau d'eau bénite pour être davantage à leur aise. Emportés dans la fièvre de la prédiction, ils ne nous ont pas immédiatement entendus. Le képi rejeté sur la nuque, de fortes chaussures aux pieds, la fausse cravate en caoutchouc passée dans une chemise bleue, on les aurait crus occupés à jouer les habits des défunts. Cela s'est déjà vu. Ils ressemblaient aussi à ces gardiens de tragédie qui parlent de leur avancement et des ovaires douloureux de leur femme tandis que dans le cachot tout à côté d'eux le condamné à mort passe sa dernière nuit.

« T'es sûr, une grosse brune ? » disait l'un.

« Écoute, je te mens pas, regarde, la voilà ! » disait l'autre en désignant la dame de trèfle qui sortait du lot.

« Mais j'en connais pas des grosses brunes, moi, tu m'aurais dit une rousse, passe encore, j'aurais peut-être vu, j'en connais une, de rousse, et un peu forte, ça correspondrait, mais une brune...

— Moi, mon vieux, je peux pas te la teindre ! Les cartes ne racontent pas d'histoires, je suis pas là pour inventer, si je te dis qu'elle est brune, elle est brune ! »

Quand ils se sont aperçus de notre présence, l'oracle et son client se sont mis aussitôt au garde-à-vous. Spielstein, militaire, leur a crié « Repos ! ». Ils se sont détendus et l'un d'eux, le tireur de cartes, m'a adressé la parole :

« On est là pour la fermeture, vous savez, c'est la loi, il faut qu'il y ait un agent. Vous avez de la chance, vous en avez deux pour le même prix. Moi, c'est Rebataille ! » Rebataille m'a serré la main. Son collègue aussi, d'ailleurs, mais je n'ai jamais su son nom.

Spielstein ayant sans doute aperçu une trace de doigts sur le bois vernis du cercueil l'effaçait discrètement avec sa manche de veste. Il s'est retiré dès que je me suis approché.

Le visage de ma mère reposait sur un beau coussin de satin blanc. On lui avait joint les mains un peu trop haut sur la poitrine si bien qu'elle n'avait pas l'attitude traditionnelle des morts. Elle paraissait contenir une douleur passagère, un spasme, en se comprimant délicatement le torse. Je suis resté longtemps à la regarder. Je voulais retenir au plus profond de ma mémoire sa dernière image, son visage lisse et calme, ses paupières si basses, ses lèvres. Sans doute cela durait-il trop : Spielstein a toussé dans mon dos. Alors, ne sachant trop quoi faire, je me suis penché pour embrasser ma mère. Je crois que c'est la coutume, dans ces moments, d'embrasser l'être qui s'apprête à rejoindre la terre et son silence noir. Mes lèvres se sont posées sur sa joue. J'ai fermé les yeux. Je croyais revenir dans le monde de l'enfance où ces baisers suffisaient à me guérir de toutes mes douleurs. « Embrasse-moi sans que je te le demande », me disait ma mère, qui aimait comme moi la tendresse des mots et des corps. Jadis, j'éprouvais comme un frisson à sentir la chaleur de son visage, son parfum, la mollesse onctueuse de sa peau. Nous riions ensuite de nos baisers et de nos caresses. J'avais le sentiment qu'à chaque fois, par sa bouche et par ses mains, elle me redonnait la vie.

Mais c'était il y a longtemps. Le baiser que j'ai posé sur la joue de ma mère morte s'est aussitôt glacé d'un froid de cire. Les chairs du visage avaient la dureté du marbre. Elles n'avaient aucun parfum. Rien ne s'abandonnait plus. Son corps gisant avait pris l'éternité des roches. Je me suis relevé.

Spielstein a saisi le couvercle, m'a regardé, puis l'a posé sur le cercueil.

Le visage de ma mère s'est retiré du monde.

Le commis avait une minuscule voiture italienne en forme de cloche et dont le moteur de tronçonneuse pétaradait sec. Il avait absolument tenu à ce que j'y monte. « Laissez votre mère aller seule, elle nous rejoindra là-haut à l'église. Vous avez besoin de vous économiser, aujourd'hui. »

Il conduisait mal, butant contre les angles de trottoir à chaque virage, sans oublier à chaque fois de s'excuser. Je ne savais pas s'il le faisait pour moi ou pour les trottoirs. L'habitacle était si petit que je me retrouvais tout contre ses épaules et sa tête.

« Vous avez une concession au cimetière, vous le saviez, n'est-ce pas ? J'ai creusé sans vous demander. Normalement, à l'intérieur, il aurait dû y avoir deux corps, les parents de votre mère. Mais en fait, rien que de la belle terre jamais habitée ! Ça m'a intrigué, cette affaire-là, alors j'ai fouillé dans nos archives. On fait souvent des mystères où il n'y a que des explications, mais un peu cachées. C'était encore le cas, vos grands-parents, votre mère les a fait incinérer, pas banal, n'est-ce pas ? Cette coutume, c'est plutôt indien et bien sauvage, les Anglais aussi font ça, mais enfin, eux les bûchers, ça les connaît, vous voyez ce que je veux dire ! Mais chez nous autres, quelle rareté ! Je suis même allé voir mon prédécesseur, il est toujours en vie, il est à l'hospice à boire de la soupe avec une paille et à faire sous lui matin et soir, bien gâteux et fini en somme, mais le cerveau est intact, et il se souvenait bien. Même qu'il a fallu aller à plus de cinq cents kilomètres pour que ça puisse se faire ! Et votre mère n'a pas voulu mettre les cendres dans la tombe, elle les a dispersées, mais il ne savait pas où... qu'est-ce que vous en dites ? Pas banal n'est-ce pas ? »

Qu'est-ce que je pouvais en dire ? Mon grand-père ne fut pour moi qu'un visage estompé, à peine une ombre entr'aperçue. Ma grand-mère avait une épaisseur guère plus probante. Qu'ils soient devenus tous deux des cendres emportées par le vent, qu'ils n'existent plus nulle part, et qu'aucun endroit ne les rappelle, ce n'était après tout que logique. « Les chiens ne font pas des crottes de chats », me disait souvent le père Franche.

J'en étais là de mes réflexions quand un trottoir heurté plus vivement que les autres m'a précipité

128

contre Spielstein dont j'ai cogné le front. « Ne vous excusez pas, ne vous excusez pas... » À la vérité, je n'avais rien dit. Un bel œuf de pigeon a commencé à poindre au-dessus de son œil gauche.

Nous arrivions sur le parvis de l'église. Le commis a garé sa petite voiture qui a fumé encore un peu tout en tremblant. Puis il est sorti pour aller vers quatre hommes en noir assis sur les marches. Ils s'épongeaient la nuque en tentant de reprendre leur souffle. À sa vue, ceux-ci se sont levés, comme pris en faute, l'air penaud. Tous portaient des pantalons trop courts, lustrés aux fesses, qui découvraient des paires de chaussettes de tennis. Spielstein s'est tu quand je me suis approché. Je leur ai donné leur enveloppe. Ils m'ont remercié en chœur, puis ont couru vers le bistro d'en face, *À l'Espérance.*

« De la racaille, des moins que rien, des pets de Dieu ! Si vous ne les surveillez pas d'un peu près, n'est-ce pas, ils vous glissent dans les pattes, ils seraient tous capables de revendre le cercueil pour se faire un peu d'argent, même avec leur propre mère dedans ! Le pire, c'est que j'ai mon beau-frère dans le lot, le grand, le plus grand avec un air bête et des yeux ballonnés, ah la famille, je vous jure... En plus, quand on est juif, ça n'aide pas ! »

Cette fois encore, Spielstein ne m'a pas expliqué pourquoi. Il appuyait contre son front un grand mouchoir paysan à carreaux rouges et blancs. Nous sommes entrés dans l'église, c'est-à-dire dans la pénombre, dans une sorte de parenthèse à hautes colonnes et vitraux mordorés, dans la fraîcheur.

Lorsque j'étais enfant de chœur, dans les après-midi d'été, je rencontrais souvent au cours de la corvée de cierges, le cantonnier agenouillé sur un prie-Dieu, toujours le même, bien à l'ombre de la chaire. Son visage disparaissait dans ses mains. Il était veuf depuis longtemps. J'évitais de faire le moindre bruit pour ne pas gêner sa prière. Je me déplaçais à pas lents. J'imaginais sa conversation avec sa défunte. Cela durait. Un jour, un bruit formidable résonna dans toute la nef. Le cantonnier était tombé, entraînant avec lui toute une rangée de chaises. Je crus au malaise et lui portai secours. Il me regarda étonné, les yeux bouffis et la bouche en chiffon, puis il reprit ses esprits et me dit :

« Putain, ce que je dormais bien gamin, quel beau rêve, j'avais vingt ans, vingt ans ! Tu te rends compte ! Et je me baignais dans un lac de vin blanc, tout nu avec des filles, et des belles, tu peux me croire... Tant qu'à faire dans les rêves, autant choisir les belles, pas vrai ? »

Ainsi m'avoua-t-il ne venir là que pour la fraîcheur du lieu qui permettait des sommes magiques durant les étés trop sérieux, et non pour la mémoire de sa femme, «un bel engin féroce», qui lui avait pourri dix ans de sa vie mais avait eu la bonne grâce de mourir jeune.

Je ne dis rien au curé, encore moins à la mère Louisa qui aurait sur-le-champ demandé l'excommunication du bougre. Mais ensuite, quand je rentrais dans l'église et m'apercevais de sa présence assoupie, je m'approchais et ramenant à lui quelques chaises, je consolidais sa sieste avec ces garde-fous de fortune.

Spielstein se pensait à l'abri de mes regards. Il trempait en marmonnant son grand mouchoir dans le bénitier avant de l'appuyer avec vigueur sur la bosse de son front. Il a fini par me rejoindre dans l'allée centrale et m'a mené vers ma place, le premier banc, le banc des confirmés, le banc des communiants, le banc des mariés et des familles dans la peine. Ce qui sert aux jours blancs, aux bonheurs faits de riz et de fleurs d'oranger, accompagne également les heures de charbons et de crêpes, les pleurs et les sanglots, les désarrois rougis.

J'ai marché lentement. Le cercueil reposait entre quatre cierges près de l'autel. Leurs flammes dessinaient un rectangle d'or dont on n'aurait vu que les angles jaunes et tremblés. Je m'apprêtais à m'asseoir quand j'ai vu sur la gauche du transept trois formes recroquevillées. J'ai reconnu les trois vieux qui d'ordinaire épiaient les mouvements de la morgue. L'un d'eux m'a semble-t-il fait un signe. Spielstein est venu à mon oreille :

« Ne faites pas attention, ils sont toujours là, ils ne rateraient un enterrement pour rien au monde, de vraies mouches... Et je ne peux rien faire contre, on les chasse, ils reviennent ! Vivement le leur ! »

Je ne m'attendais pas à une foule conséquente, mais je n'aurais jamais imaginé pareil vide. Ma mère était née dans cette ville, elle y avait grandi, joué, travaillé, sans doute aimé, ne fût-ce que furtivement, comme en attestait mon existence. Se pouvait-il qu'il n'y ait personne qui se souvienne d'elle, et veuille la saluer une dernière fois ? L'absence des autres, même de ces dames comme il en existe partout et qui attendent leurs funérailles en allant à celles des autres, m'indiquait bien le retrait de ma mère. En un instant, dans l'église presque déserte, j'ai vu la vie de ma mère, durant mes longues années de fuite. Recluse, se cachant, sortant peu, refaisant inlassablement les mêmes chemins, traquant mon fantôme de dix ans, dix ans, c'est-à-dire une tête de moins qu'elle, des yeux émerveillés, des rires, une main qui s'agrippait encore à sa jupe, une aveugle confiance... J'ai repensé à ce que m'avait dit le curé, à cette fleur dont il m'avait parlé et qui ressemblait à ma mère. J'ai compris sa douleur. J'ai vu son regard sans

132

flamme. J'ai su qu'elle avait commencé à mourir il y a longtemps.

«Je vais rester avec vous, n'est-ce pas, ce sera mieux...» m'a dit Spielstein qui est venu s'asseoir à mes côtés. Il avait toujours sa grosse tête de légume, ornée d'un tubercule de plus qui virait au bleu parme. Il me souriait.

Le curé a fini par arriver, dans une chasuble digne d'un archevêque. Il était difficile de reconnaître en lui l'homme sombre de l'avant-veille. Pourtant, c'était bien le même, et il me l'a fait comprendre dès qu'il m'a vu.

Il est venu vers moi sans façon, après avoir rapidement béni le cercueil et m'a demandé : «Alors, vous vous l'êtes posée la question ? la seule question ? Pas facile d'y répondre, hein ? Ça demande du cran... Remarquez, vous avez le temps, vous avez toute votre vie maintenant, on y va ?»

Il avait préparé l'autel comme une table de banquet. Tout cela, ciboire, plateaux, burettes et chandelier, luisait comme des soleils. Dans un vase pâle, une fleur délicate et courbée ouvrait ses pétales mauves. Le curé me l'a désignée du doigt : «Je l'ai cueillie pour vous, ce matin, *l'Opale de Syrie*, vous vous rappelez ?»

Il était seul. Sans enfants de chœur. Maniant l'encensoir à la façon d'un fouet, il s'est vite retrouvé au cœur d'un grand nuage bleu, très odorant qui l'a fait tousser. Il en est ressorti, les yeux larmoyants, les mains tendues, en criant « Alléluia ! » à trois reprises.

D'autres messes me sont revenues à l'esprit, d'autres enterrements dans lesquels j'avais aidé le prêtre. Mes compagnons se ruaient sur les baptêmes et les noces. Je préférais les funérailles, peut-être parce qu'elles me faisaient voir les autres sous une lumière neuve. Les cortèges empêtrés, les veuves agenouillées qui hurlaient, tombaient évanouies, restaient droites comme des menaces anciennes, les sombres parentèles lançant des regards assassins au cercueil du défunt, les orphelins hagards, les cousins calculateurs formaient un théâtre en miniature. Le drame avait eu lieu ; ne restait plus que l'agitation ou la stupeur des coulisses, le partage de la recette et le décompte de la misère. Sur l'estrade, à ouvrir les pages du missel, à présenter le pain et le vin, il me semblait m'élever au-dessus du spectacle mesquin de la cruauté et de la douleur. J'observais les hommes comme s'il s'était agi d'insectes. Le noir qui les habillait les rendait transparents. En quelque sorte il les mettait à nu.

« Je ne vais pas vous raconter de bobards, a dit le curé. Ce qu'il y a après, je n'en sais rien, je suis comme vous. Au fond, aujourd'hui, on est entre nous... J'aurais pu vous faire ce que vous attendiez peut-être, une belle grande messe farcie de formules rabâchées, auxquelles on ne prête plus attention, mais le cœur me manque, j'ai envie d'être honnête, au moins une fois... »

Il a quitté l'autel pour s'approcher gravement du cercueil, sur lequel il a fini par mettre une grande claque du plat de la main.

« Tout est là, et pas ailleurs, peu de chose à dire vrai... Les gens viennent ici pour trouver des réponses, comme si j'en avais de toutes prêtes à leur fournir ! C'est bien pratique de s'appuyer sur un autre, et pas fatigant, ça dispense de s'ouvrir le ventre et l'âme... Un bel enterrement, bien joli, avec de grandes brassées de cierges, des cantiques vieux comme le monde, quelques versets bien choisis et de bonnes prières, on pleure un plein chagrin dans les odeurs d'encens, on baisse la tête au moment propice, et voilà, le tour est joué ! *Ite missa est...* On ressort avec un poids en moins, comme si on nous avait enlevé une tumeur formidable et que soudain on s'aperçoive que le ciel était bleu, l'air doux, et le vin séduisant ! Et dans l'histoire, qui est-ce qui trinque ? C'est le curé, une vraie éponge, forcée de pomper tout le malheur qu'on liquide, les douleurs, le désespoir, l'incompréhension, les cris, et de vivre avec après, le soir, toutes les nuits... Parfois, certaines fins d'après-midi, quand je rentre d'une grosse journée, j'ai l'impression d'être très lourd. Les gens m'ont chargé jusqu'à la gueule de leurs souffrances et de leurs grands malheurs. Eux, ils sont repartis vidés et guillerets, et moi j'endosse l'habit, je suis là pour ça !

« Je me souviens d'une fois, je débutais, à moins que ce ne soit quand j'étais encore au *Copacabana*, le casino-dancing, je finis par confondre tant les deux métiers sont proches, eh bien, il y avait une femme, la quarantaine timide, un peu ronde, à croquer, un regard battu et très beau, le genre de femme qui a souffert et en a tiré une douceur de fourrure, la bonté quoi, je vous jure, la bonté même, qui voulait se confesser, ou parler. Elle commence, ça a duré sans mentir une bonne heure, un siècle, j'ai été embringué dans sa vie, de force, comme un fétu sur une rivière, et vas-y donc... J'ai eu droit à tout, je me souviens de ses mots, je m'en souviens parce que j'ai pensé, mon gars, tu descends aux Enfers, de vrai, là tu y vas... "Je ne suis pas celle que vous croyez, Monsieur le curé", elle commence comme ça, minaudante, la voix de miel, l'œil de souris. Ensuite, ce fut un torrent... Elle avait un mari, un bon gars qui était peintre en bâtiment, le genre qui s'ennuie à ne rien faire, la tête dans le travail, tout le temps. Et le mari tombe malade, pas une petite grippe ou bien un lumbago, non, une maladie sérieuse, une forme rare de cancer de la langue. Incurable. Jusque-là, en l'écoutant, je me disais : encore une qui va finir par me pleurer dans la soutane, qui va m'agripper

136

par les sentiments. Mais non, l'affaire a pris une toute autre tournure... "Quand j'ai appris la maladie de mon mari, j'ai remercié le Ciel, les mains jointes, vous ne pouvez pas savoir comme j'étais heureuse de savoir qu'il allait souffrir le martyre..." Voilà ce qu'elle me dit, les yeux dans les yeux, celle que j'avais prise pour une victime de plus. Le pire, c'est qu'elle n'avait aucune raison de le haïr, son mari... Bon père, bon époux, bien courageux, c'est elle qui le disait... "Vous comprenez, de savoir qu'il a très mal, et que c'est sans espoir, je ne sais pas pourquoi, ça me fait du bien, oui, ça me fait vraiment du bien... Vous croyez que je ne devrais pas, Monsieur le curé ?" Tous les jours, elle lui parlait de son cancer, à chaque heure, en lui disant bien qu'il allait mourir, et lentement, et qu'il ne pouvait pas en réchapper. Elle lui décrivait sa langue, "un vrai foie de volaille pas frais". Elle ajoutait à la souffrance du corps celle des petits mots qu'elle lui servait bien chauds, bien acides à lui qui n'avait plus la parole, qui ne pouvait plus parler, qui ne pouvait que l'écouter. "Vous savez qu'il m'écoute, me disait-elle, il m'écoute, vous verriez alors comme il pleure, le pauvre, un vrai gosse ! Moi, de le voir comme ça, de lui dire tout ça, je suis toute chose, tout alanguie, il y a un grand trouble dans mon ventre, je pense à des douceurs qu'il n'a jamais su me faire, ou me payer, je m'apitoie sur mon sort, alors je continue..." Quelques mois plus tard, je l'ai enterré, le mari. Sa femme était devenue une veuve tout à fait respectable. L'habit lui allait bien, ainsi que les yeux rougis et les pommettes rongées. Je ne savais pas où elle était allée les chercher ses larmes, mais elles étaient bien là. Elles coulaient sur son beau petit visage tout rond. Peut-être qu'elle se désespérait d'avoir perdu ce qui lui faisait du bien... Peut-être qu'elle en avait vraiment du chagrin, allez savoir... C'est tellement bizarre l'être humain !

« Je ne la raconte pas à n'importe qui cette histoire-là, les gens ne comprendraient pas. Ils auraient trop vite fait d'en tirer des conclusions sur la folie de cette femme, ou son vice. Mais vous, vous savez bien que ce n'est pas ça, pas du tout, et qu'elle n'était en somme pas très éloignée de nous autres, peut-être un peu différente, mais pas trop éloignée malgré tout. Qui n'aime pas faire souffrir ? Qui ne s'y est pas essayé une seule fois, même de loin, même sans avoir l'air d'y toucher ? Et pourtant, ensuite on vit bien avec, tranquille. On passe notre vie à touiller chez les autres des plaies et à les infecter, rien que pour voir comment ça fait... »

Le curé a haussé les épaules, puis il a avalé sa salive plusieurs fois avant de quitter le cercueil et de rejoindre l'autel où il a pris la burette et a versé bruyamment le vin dans le ciboire sur lequel il a fait le signe de la croix. Et puis il l'a bu, cul sec. Et il s'est resservi.

« Pourquoi je vous ai raconté tout ça... Quelquefois je me laisse entraîner, ne m'en veuillez pas... J'ai tellement entendu les gens m'ouvrir leur sale petite âme, leur arrière-boutique, que parfois ça déborde... S'il y a un Enfer, c'est là qu'il doit être, pas ailleurs ! »

Quelques pigeons ont battu des ailes en se chamaillant d'un chapiteau à l'autre. Sur la rosace du chœur, la Vierge à genoux caressait du revers de la main la joue creusée d'un Christ mort. Un des trois vieux a toussé, à ne plus s'arrêter. Les deux autres lui ont tapé dans le dos. Le silence est revenu, et avec lui le sourire de ma mère et ses doigts posés sur ses lèvres. Elle était penchée au-dessus de mon lit, après avoir bordé mes draps. C'était un soir de printemps dans les premières odeurs de lilas. La nuit venait de tomber. Je voulais encore lui parler, mais elle me guidait déjà dans le sommeil.

Spielstein me touchait le bras depuis un moment. « La cérémonie est bientôt terminée, je vous laisse, il faut que je prépare la barque... À plus tard ! »

Je n'ai pas eu le temps de songer à ce qu'il venait de me dire. La musique a éclaté sous la voûte. Le curé s'était mis à l'harmonium, non sans talent. Ce qu'il jouait convenait à la circonstance, et l'instrument faussé ajoutait à la majesté de la composition une nuance d'humanité qui la rendait touchante.

La cire des bougies coulait sur le pavement de pierres blondes. Le curé fermait les yeux en jouant. J'ai repensé à ce qu'il venait de nous dire. Ma tête était un peu embrouillée. Je n'avais pas tout compris.

Comment avais-je pu laisser mourir ma mère ?

J'ai vécu longtemps avec un père tombé en héros. Je le savais en repos dans un pays que l'on dit calme. Je savais son corps dans la litière chaude des rizières, sous l'humus odorant des jungles trempées, dans les flots orange de grands fleuves grossis par les moussons. Loin de moi mon père était mort, loin de mes premiers pas, de mes pleurs, de ma peau de petit enfant qui geint et réclame son lait.

Il m'a manqué durant seize années. Aujourd'hui encore j'essaye d'imaginer sa voix, sa démarche, le dessin de ses paumes.

Il n'y avait qu'une seule photographie de mon père dans notre appartement. Elle était encadrée sous verre et clouée sur le mur au-dessus du lit de ma mère, comme un crucifix. Mon père y souriait. Il s'appuyait contre la carlingue d'un avion. Il avait un bonnet de pilote qui lui cachait entièrement les cheveux, des lunettes relevées sur le front, un gros blouson de cuir. Il paraissait fort, joyeux, invincible. Je ne lui ressemblais pas.

Je demandais souvent à ma mère de me parler de lui. Et moi je lui parlais, la nuit, lorsque le sommeil tardait à me prendre et que je peinais seul dans la grande obscurité, à me débattre et trembler. Ma mère en songeant à lui avait les yeux brillants, et la peine lui faisait baisser le front. Les mots lui venaient avec difficulté. Ils se prenaient dans sa gorge. Elle regardait ses mains. Elle se perdait pour moi dans un passé de moments doux et de baisers volés, se rappelait l'absence et les heures de joie, les lettres qu'il lui avait écrites et qu'elle gardait dans un petit sac à fermoir d'argent posé contre son lit. Je regardais ce sac comme un coffre à trésors. Je savais qu'y reposaient les bribes d'un amour et le souvenir d'un homme, et bien que ma mère ne me l'ait jamais explicitement défendu, je n'aurais pas osé l'ouvrir.

Trois fois par an, nous nous rendions devant le monument aux morts où s'affichait la liste de tous les cadavres patriotiques jetés dans le char-nier de l'Histoire. Quelques-uns avaient des noms d'oiseaux, *Jules Serin, Marcel Aigle, Théophile Milan* ; d'autres avaient des noms grotesques, *Jean Troudevant, Luc Badupied*, d'autres encore des noms qui me faisaient rêver, *Alexandre Bau-seigneur, Pierre Doucendre, Hadrien Bélasil* Mais il n'y avait pas le nom de mon père.

Mon père n'existait pas sur cette pierre dressée vers le ciel et qui semblait une manière de poing tendu. Ma mère m'avait expliqué qu'on n'y inscrivait pas ceux dont le corps n'avait jamais été retrouvé. Puis elle m'avait montré son cœur et le mien, et m'avait dit : « Ton père est là, il est bien mieux, c'est plus chaud que la pierre... » Cela m'avait semblé très vrai et très beau.

J'ai plusieurs fois descendu en songe le cours du Mékong dans une geste indochinoise qui me faisait croiser des sampans chargés de bois précieux et des cohortes de buffles d'eau aux cous tendus sous des jougs de teck ouvragés comme des sculptures. J'ai erré dans les forêts d'un vert tendre de bambous et de kalicédras à écouter le cri des oiseaux chanteurs tandis que le soir ramenait au-dessus des palmes lointaines d'étranges nuages couleur de corail.

Ce pays lointain d'Indochine est devenu mon autre pays, celui dans lequel durant seize années je me réfugiais pour y retrouver mon père, l'entendre, me blottir dans ses bras, contre son blouson de gros cuir, jouer avec ses lunettes d'aviateur et regarder son rire. Je connaissais toutes les montagnes, toutes les rivières. Je me voyais debout dans le matin de ses rizières parmi les paysans courbés qui plantaient dans la boue fertile et tiède des plumes d'émeraude. Je partageais accroupi à leurs côtés le riz gluant et le poisson bouilli. Je dormais le soir venu sur des nattes de jonc. Mon père veillait sur moi.

Tout cela aurait pu durer longtemps. En toute quiétude. En toute confiance. Des rires auraient dû m'avertir. Dieu sait pourtant qu'il dut y en avoir. Mais je n'y pris pas garde.

Il a fallu qu'un jour, tandis que j'étais seul dans notre appartement, je décroche le cadre de la photographie de mon père. Il a fallu qu'un jour je décroche ce cadre et qu'il m'échappe des mains. Il a fallu que le cadre se brise à terre pour que choient en même temps un monde et ses deux astres.

Les débris de verre formaient au sol une mosaïque translucide. L'un d'eux avait légèrement griffé la photographie. Quand je la pris dans mes mains, elle me sembla bien légère. C'est à peine si elle ne se froissa pas et je craignis un instant qu'elle ne disparût tout à fait. Les bords avaient été pliés pour permettre de l'insérer dans le cadre. Jamais mon père ne m'avait souri d'aussi près. Il paraissait me regarder. Je frémissais.

Je dépliai la photographie avec le soin que l'on porte à un vieux parchemin dont on devine qu'il nous apprendra une vérité cachée. Le papier glacé était celui d'un vulgaire magazine.

Ce n'était pas une photographie mais une page arrachée.

Un morceau volé à d'autres vies éloignées de la nôtre.

Une vue de l'éphémère.

Ce n'était rien.

Une légende : trois phrases, quelques mots, un tout petit morceau de parole, un éclat de métal que l'on m'enfonçait dans l'âme.

Je tenais dans mes mains le pâle reflet d'un acteur de cinéma oublié. Je tenais dans mes mains une grande blessure. Je tenais dans mes mains tout le poids de ma honte. Je devenais soudain orphelin.

J'avais vécu jusque-là dans le beau mensonge. Ma mère avait semé autour de moi quelques pépites et les avait fait luire.

De qui donc étais-je le fils, si je n'étais celui d'un rêve aux parfums d'exotisme frelaté ?

Ma mère, de sainte devint en un instant une abjecte traînée.

On n'est pas sérieux quand on a dix-sept ans. On est cruel lorsqu'on en a seize. On se bouche les oreilles. On ne veut pas comprendre. On condamne et on crache. C'est ce que j'ai fait.

J'ai craché au visage de ma mère qui sanglotait à terre parmi les débris de verre. J'ai dit des mots infâmes. J'ai hurlé en pleurant. J'ai lancé ma misère.

L'agneau devint le loup.

Je voulais lui faire mal. Je voulais lui redonner

tout ce mal que j'avais ressenti soudain, en tenant dans mes mains l'image grotesque, en sentant sous mes doigts s'évanouir une vérité profonde dans laquelle j'avais vécu. De qui étais-je donc le fils, pour que ma mère ait ressenti le besoin d'échafauder cette pauvre légende, de s'en contenter, de la ressasser, de la psalmodier, pour finir peut-être par s'en convaincre elle-même et y croire ?

J'étais le fils du vide.

J'étais le fils du rien.

Ma mère prit à mes yeux le masque de la putain, celle que les hommes touchent et rejettent, qui leur donne un peu de plaisir, des cuisses ouvertes sur un simple claquement de doigts, un corps facile. Rechercher mon père, c'eût été traquer la faute vulgaire, l'accouplement rapide sur un chemin, un palier, dans la promiscuité d'une cave ou d'un cagibi. Ma mère s'était donnée dans la beauté de son adolescence. Elle avait livré cette beauté aux chiens et à la fange.

J'étais le fils d'un moment de souillure.

Désormais, ce fut là le visage de mon père, sans yeux, sans bouche, sans regard, plus terrible encore que le visage de tous les morts et de toutes les haines. Mon père eut un visage de souillure.

Ma mère sanglotait toujours. Elle pleurait toute ma jeune vie d'innocence. Elle pleurait mes rires et mes baisers, nos jeux complices et nos caresses,

146

elle pleurait tout cela en serrant dans ses mains les morceaux de verre. La nuit la trouva à la même place, trempée de larmes et de sang.

Là s'arrêtèrent les charmes de mon enfance. Nous vécûmes encore tous les deux quelques mois, dans les silences, la méfiance et les pleurs. Ma mère n'osait rencontrer mon regard. Elle n'avait plus de beauté. Je ne voyais que son mensonge. Je devins procureur. Chaque journée était un tribunal. De grands orages à heures régulières s'abattaient sur elle. Je maniais la foudre et le tison avec l'inconscience de ceux qui croient avoir raison. Il est si simple de devenir bourreau. « Qui est mon père ? » demandais-je à ma mère prostrée. « Qui est mon père ? » répétais-je sans me laisser apitoyer par les yeux apeurés, les lèvres qui tremblaient, le front soudain pâli.

« Qui est mon père ? » J'apprenais à faire le mal. J'assassinais lentement.

Ma mère tentait de me toucher, de tendre sa main vers ma joue, ma nuque, mon cœur. Je la repoussais comme une chienne malade. J'éloignais de moi la porteuse de peste, la lépreuse aux yeux clairs. Je me gardais de toute pourriture. J'oubliais les grandes années solaires de notre vie à deux pour ne retenir que sa faute obscure.

Mes habits d'innocent me donnaient de l'audace. J'exigeais des aveux. Je contemplais des larmes. J'étais aveugle à la souffrance ancienne, et à celle, neuve et plus vive, que j'engraissais de mes reproches.

«Qui est mon père?» La litanie versait sa poix brûlante. Ma mère ne répondait pas. Parfois, le visage noyé, les yeux las, elle secouait la tête et murmurait : «Mon petit, mon pauvre petit...», et cela me rappelait les paroles de ma grand-mère que je surprenais quelques années plus tôt au travers d'une cloison, à chacune de ses visites. Les enfants dans notre famille avaient-ils vocation à faire pleurer celles qui les avaient fait naître?

«Qui était mon père?» Voulais-je vraiment le savoir? La découverte n'aurait-elle pas été pire que l'ignorance?

Un matin où elle était encore endormie, j'ai ouvert la porte qui a grincé comme à son habitude. Sur mes épaules, mon sac pesait bien peu. J'ai songé à écrire quelques lignes; je ne l'ai pas fait. Je suis parti.

Au-dehors, dans le frais de l'aube et sa lumière blanche, je me suis cru soulagé. La naïveté n'était pas le moindre de mes défauts.

J'ai pris des trains qui ne m'ont mené nulle part, sinon loin de ma mère. Je me suis embauché à droite et à gauche. J'ai fait trente-six métiers sans

148

en savoir un seul. J'ai peu fréquenté les femmes. Je n'en ai aimé aucune.

Les années ont roulé comme des gouttes d'eau sur une vitre. Elles m'ont usé sans me satisfaire. Je me suis bien souvent endormi sur de vieux rêves morts.

On ne devrait jamais juger les autres. Et surtout pas sa mère. J'ai mis beaucoup de temps à le savoir. Il m'a fallu souffrir davantage, aller plus loin sur un chemin d'épines et de désillusions. J'ai vécu comme on vit, en se souvenant et en se taisant, en pleurant, en nourrissant des colères qui parfois ne demandaient qu'à s'étouffer. Je n'ai jamais plus revu ma mère. Je n'ai plus voulu songer à mon père.

Les années qui passent m'ont apporté une manière d'apaisement. Je ne suis pas doué pour la haine durable. Rien n'aurait empêché que je revoie ma mère, que je la prenne à nouveau dans mes bras, que je lui baise les mains, et lui demande pardon. Rien, sinon la distance et la gêne.

J'ai bien souvent voulu retourner vers elle mais le chemin me paraissait si long. Quel aurait été son premier mot ? et le mien ? Qu'aurais-je pu lui dire ? L'âge adulte installe en nous des pudeurs qui ne sont que des hontes déguisées. Nous étouffons nos élans avec des poignées de bonnes causes.

J'ai fui un peu plus loin.

« L'heure du bilan... ? » Le curé était assis à mes côtés et me regardait bien au fond des yeux. « Avouez que mon petit sermon a fait son chemin... Ou plutôt non, n'avouez rien, je ne veux pas vous faire dire un mensonge, vous avez vos pudeurs, et moi les miennes... Si nous y allions ! Je crois que vous n'avez plus rien à faire ici, venez. »

J'avais les jambes en paille et la mémoire malade. Il m'a entraîné comme un automate vers la porte de l'église.

Il faisait soudain très doux pour la saison. On aurait dit que le soleil se mêlait à la pluie qui tombait et lui donnait une tiédeur tropicale. Il y avait dans l'air l'odeur agréable des feuilles tombées qui peu à peu commencent à perdre leur chair en se mêlant à la terre.

La place était déserte. Derrière les rideaux du café de *L'Espérance*, une grosse femme en chignon écrasait son nez contre les vitres en nous regardant. Le curé me guidait. Il était retourné dans son silence, et moi dans le mien. Nous sommes passés devant l'enseigne à demi-tombée du *Cinéma Georges*. J'ai repensé à la photographie de celui qui fut mon père, malgré tout, malgré lui, pendant seize ans. J'ai songé à tous les films que j'avais vus dans la vieille salle dont le plafond désormais crevé laissait entrer vents et crachins. Le velours de ses sièges avait la couleur des fraises. Les filles se mettaient au parterre, les garçons au balcon. Pour les retardataires, l'ouvreuse fendait la nuit de sa lampe de poche. Nous partions pour deux heures dans des voyages pleins de drames et de coups de feu, de cavalcades et de dollars. Nous faisions tomber sur les cheveux des filles quantité de bêtises, mots d'amour ou papiers de bonbons. Parfois la bobine s'enflammait, et sur l'écran la beauté de l'actrice devenait un masque rongé par un mal noir qui effaçait ses traits dans le blanc de la toile.

La mort, c'est peut-être cela : entrer dans l'immense clarté vide de la lumière blanche ; s'évanouir dans le creux transparent d'un ultime incendie. On pourrait rêver pire.

Nous étions parvenus en bordure de la grande mare. Un pêcheur improvisait un coup sur la berge temporaire. «Ça mord ?», lui a demandé le curé.

«Oh! pas fort, quelques suicidés...», a répondu l'homme sans nous jeter le moindre regard.

Je me demandais pourquoi le prêtre m'avait emmené là. En levant les yeux, j'ai soudain compris. À quelques centaines de mètres de nous, sortant des eaux boueuses comme une île aux étranges palmiers, surnageait la colline du cimetière. Et à mi-chemin, flottait une grande barque maniée par quatre hommes, sur laquelle je distinguais la masse fine et sombre d'un cercueil et le corps gesticulant de Spielstein.

«La barque des morts...» m'a dit le curé dans un murmure. Puis il est allé détacher un autre esquif, pansu et goudronné, dans lequel nous sommes tous deux montés.

L'eau sentait le pétrole. Ballottées par la faible houle, quantité de choses venaient à notre rencontre, herbes jaunes, éparses comme des scalps, bidons d'huile, lambeaux de papier. Bien au loin, on distinguait le cadavre gonflé d'une brebis prise dans les barbelés d'un parc; le courant la faisait tourbillonner sur elle-même. Des mouettes surgies de nulle part dans cette terre éloignée de toute mer planaient au-dessus de nos têtes en lançant de petits cris grotesques. Le curé ramait en cadence. Il paraissait avoir fait cela toute sa vie. Spielstein au loin s'agitait toujours et me faisait des signes. Je pensais au corps de ma mère doucement caressé par le roulis. Je pensais à la rive que je voyais se rapprocher, cette autre rive à laquelle bientôt nous allions aborder et où j'allais laisser ma mère pour toujours.

J'étais soudain immensément triste et dans le même temps j'éprouvais au cœur de ce théâtre d'eau une paix inoubliable. Les deux barques se suivaient à distance, dans un silence à peine remué par le clapotis des vagues et la plainte des oiseaux. Il n'y avait devant nous que le spectacle des croix dressées qui, à mesure que nous progressions, devenaient davantage précises et dessinées. Au-delà, comme un décor sur une toile immense, la colline surpiquée de vergers en fruits donnait une patine de chairs vives à la sécheresse pierreuse du cimetière.

Le curé se taisait. Il me regardait toujours. Il n'avait pas besoin de mots pour venir dans mes pensées. Je n'avais plus rien à cacher, en tout cas pas à lui.

À peine débarqués, nous avons rejoint le commis et ses quatre porteurs dont la station au bistro avait coloré les trognes d'un glacis vermeil. Le moment nous rendait tous songeurs. Spielstein s'exprimait par gestes brefs. J'ai découvert une tombe que je ne connaissais pas, avec des noms anciens à moitié effacés. Ne manquait que celui de ma mère et c'était à moi de l'écrire.

Tout est allé ensuite très vite. Il y a eu des frottements de cordes, des ahanements d'efforts, un glissement chuinteux, un choc plus sourd, des mains qui se crispaient, de lentes respirations, le calme revenu. Puis la première pelletée de terre s'est abîmée sur le bois dans un bruit de mitraille. Il y en a eu d'autres. J'ai fermé les yeux. C'était comme si au fond de moi on lançait des cailloux.

Je me suis retiré à pas lents. Les cimetières sont des régions troublantes. Les fréquenter laisse d'immenses traces.

De beaux arbres ponctuaient celui-ci, comme sortis d'entre les tombes, poussés d'entre les morts. Ils venaient près des pierres et des croix chavirées de vieilles concessions oubliées des vivants. Ils portaient des fruits d'or, des coings lourds et duveteux, d'un beau jaune odorant et d'une dureté de marbre.

Les coings m'ont toujours ému plus que de raison. Sans doute cela remonte-t-il au jour où, tout enfant, dupé par le beau fruit et son parfum, j'y ai mordu à belles dents, me plantant ainsi dans son amertume et sa chair close. Des peaux fragiles aux parements de déesse masquent parfois des cœurs d'agate. Le coing m'a enseigné bien jeune, et à mes dépens, les deux côtés de la vie, le doux et l'amer, entre lesquels nous nous cognons sans cesse.

Mais de ce jour où j'ai enterré ma mère, il est devenu pour moi le fruit de la mort, son mystère incarné, sa belle terminaison.

Nous sommes revenus dans la ville, et nous nous sommes quittés. Pour toujours. Le curé m'a serré la main avec chaleur, puis il s'est éloigné. Jamais il ne m'a paru si seul que lorsque je l'ai vu de dos, dans sa grande soutane qui lui battait les pieds, remontant vers son église, son jardin en friche, sa vie de solitude égayée de mauvais vin.

Spielstein avait préparé ma note qui incluait ses services, le prix de la cérémonie, celui du cercueil et du transport fluvial. Je l'ai réglé sur-le-champ.

« Ce qui m'importe, c'est que le client soit content, vous pensez bien... Bon, ne vous en faites pas trop, le plus dur est passé, maintenant, je parle par expérience ; après, il suffit de laisser aller les jours, de ne pas trop gamberger les soirs, ou bien dans les heures creuses de la nuit... Et puis il faut penser aux vivants... Au fond, les morts n'ont pas besoin de nous, n'est-ce pas ? C'est nous qui nous encombrons avec eux... Allez, il faut que j'y aille, mes petites m'attendent, vous les avez vues ? Des soleils... Parfois, je crois que je pourrais les regarder, sans rien leur dire, pendant, pendant toute une vie peut-être ! »

Lui aussi m'a serré la main, puis il est remonté dans sa petite voiture. La bosse de son front était devenue verte. Il a agité sa main. Il a disparu dans la fumée et les hoquets. Il est allé rejoindre ses petites filles, leur beauté et leurs rires, leurs visages ouverts aux clartés des lendemains.

J'ai sorti de ma poche la clef de métal.

J'ai enfin osé la contempler au grand jour.

Je venais de conduire ma mère dans la tombe. Il me fallait désormais entrer dans une autre.

La vieille maison avait ses persiennes closes, hormis celle du logis de ma mère. Au rez-de-chaussée, un panonceau annonçait que l'appartement était à vendre. Il était déjà là quand j'étais parti. Dans le bois raviné par les pluies et le gel, on peinait à lire le nom du notaire et son adresse. Les clients étaient rares. Le père Franche avait quitté les lieux les pieds devant, emporté par une septicémie. S'étant entaillé la cuisse à travers le pantalon avec un tesson de bouteille, il avait voulu pratiquer sur lui quelque recette d'une médecine toute personnelle en cautérisant la plaie à l'aide d'un tube de colle à rustines de la marque *Sékal* — «*Sékal, la réparation radicale!*» Sa femme avait tout fait pour l'en dissuader. L'alcool aidant, elle s'était fait traiter de noms barbares. En trois jours, la jambe du vieux pêcheur était devenue épaisse comme un tronc de chêne et molle comme un foie de génisse. Cinq jours après, la gangrène avait atteint la hanche. Deux jours plus tard il décédait. Sa femme au visage de nuit partit chez une cousine du Nord, et ne donna plus de ses nouvelles. L'appartement resta vide, tout comme celui d'Oreste Didione, dont nul parent ne réclama jamais les chapeaux ni les costumes.

Je retrouvais l'escalier dont le colimaçon bancal montait jusqu'au faîte d'un grenier poussiéreux. J'en avais fait jadis tour à tour mon île au trésor et ma robinsonnade. Je connaissais la musique de chacune de ses marches. Sur les murs, la peinture jaune crevait en cloques bouffies. Je me souvenais des journées lointaines où des artisans piémontais, tout de blanc vêtus, passèrent de grands rouleaux sur les murs après les avoir trempés dans d'énormes pots, tout en sifflant des airs joyeux de leur pays.

Devant la porte de notre appartement, j'ai eu le sentiment qu'on m'attendait de l'autre côté, un peu comme si j'avais quitté les lieux depuis quelques heures seulement, et qu'on se demandait à mon sujet : «Tiens, que fait-il donc? Il devrait déjà être là... Il n'est pas parti bien loin, pourtant!»

La clef a tourné dans la serrure, comme les aiguilles sur les cadrans du temps perdu. J'ai fermé les yeux. Je suis entré.

Les parfums des lieux où nous avons vécu gardent à jamais dans nos mémoires leurs vives empreintes, à l'inverse des visages et des voix qui s'en vont inexorables se perdre dans des puits sombres. Les respirer nous replonge, avec une vigueur toujours effrayée, dans des moments qui ne sont plus depuis longtemps. Les yeux clos, baigné dans l'odeur qui était celle de mon enfance, odeur de plancher frotté de Javel, de lavande sèche serrée dans des filets de jute et glissée entre le linge, de plâtre travaillé d'humidité et de charbon de bois, j'ai perdu peu à peu mes habits d'homme. Je me suis dépouillé de toutes mes années de fatigue et d'ennui. Je suis redevenu le garçon trop maigre aux cheveux en bataille qui, la semaine, été comme hiver, allait en culotte courte, genoux écorchés, sur les chemins et dans les taillis, épiant les couvées et les terriers, les frayères et les brins de muguet naissants.

Ma mère avait continué là sa vie discrète, à l'abri des regards et des bruits du monde, dans un tête-à-tête muet avec l'enfant en allé. J'ai vu que rien n'avait changé, ou si peu. Sur le mur du couloir, les mêmes vêtements de pluie pendaient à une patère au-dessus d'un parapluie noir au manche de bambou. Dans les jardinières en faïence à motifs de poissons chinois, les ramures desséchées d'impatiens de Crimée formaient une dentelle brune qui se dissipait en poussière sous les doigts. La cuisine exhalait une odeur d'encaustique et de gaz. Le buffet à feston présentait une vaisselle dont je connaissais chaque fêlure. Il y avait sur la table un petit vase et ma photographie, une des dernières qu'on avait prises : on m'y voyait dans cet âge ingrat d'adolescence qui durcit nos traits et nos regards, et nous donne une bête assurance en plus d'une prompte témérité. La chaise de ma mère lui faisait face.

Le robinet de l'évier égrenait dans son goutte-à-goutte les heures et les jours. J'imaginais ma mère assise face à mon image ancienne, me parlant, évoquant pour nous deux les *minutes heureuses*, pleurant peut-être aussi dans le vide et la nuit.

Dans la petite armoire de ce qui avait été ma chambre, j'ai vu les vêtements d'un enfant disparu. J'ai retrouvé au hasard des tissus oubliés, un pantalon de velours brun, mon premier pantalon acheté dans un grand magasin de la ville où, fier comme un coq, je l'avais essayé sous le regard souriant de ma mère. Une fois par semaine, ce pantalon des dimanches recouvrait de son tissu solide mes genoux étoilés de croûtes grenues qui finissaient par tomber mortes un jour en découvrant une chair toute neuve et toute rose, nouvellement tendre, dont le toucher procurait alors un mélange de mince douleur et de plaisir acide. Plus tard, l'usure aidant, il devint le compagnon de maraude et ses poches se remplirent de trésors inavouables, caramels mâchonnés puis abandonnés là, pièces d'un centime, coquilles blanches d'escargots défunts, noyaux de cerise. Je l'ai pris dans mes mains, l'ai serré contre moi comme une peluche aux vertus de fétiche. J'ai voulu glisser ma main dans une de ses poches, mais elle n'y rentrait plus... Malgré tout, au bout de mes doigts j'ai senti le froid d'un petit morceau de métal. C'était un canif, compagnon délaissé de tant d'expéditions, mon canif de corne rouillé, mince comme un caillou que l'eau d'une chute amenuise depuis un millénaire : juste une lame en rouille festonnée qui glisse à peine entre deux bords jaunis, rien que le souvenir de l'ombre d'un petit couteau de trois sous, au fond, tout au fond d'une poche de pantalon usé.

Je n'ai rien dérangé. J'ai refermé l'armoire et la porte de ma chambre, où le livre que je lisais il y a seize ans était encore ouvert sur la table de chevet, comme s'il attendait la main qui allait le saisir.

Le lit de ma mère avait gardé la forme de son corps, l'empreinte de sa dernière nuit. Elle l'avait passée sans déranger les draps, à peine posée sur l'édredon qu'elle avait brodé, jeune fille, de motifs de roses et de pampres. Elle s'y était posée, et le nuage de plumes avait gardé le dessin de ses genoux pliés, de son bras tendu, de sa tête ramenée vers son épaule. Il y avait aussi le parfum de ma mère sur le tissu de lin : je m'en suis approché pour y poser mon visage, et je m'y suis enfoui, comme par habitude, comme jadis quand mon chagrin était trop grand et qu'il me fallait, à défaut d'embrasser ma mère absente du logis, trouver certains de ses vêtements ou bien la tiédeur de son lit, pour les caresser comme s'il s'agissait de sa peau, pour m'y perdre et m'y consoler.

Sa chambre avait l'austérité d'une cellule. Tout ce qui jadis y avait apporté une nuance légère avait disparu. Elle était devenue grise, d'un dépouillement choisi comme une mortification. Peut-être était-ce à cause de cela que l'on remarquait plus encore le petit sac à fermoir d'argent, posé avec ostentation sur une table, près de la fenêtre qui servait de coiffeuse à ma mère. Mais il n'y avait plus sur cette table ce qu'on y trouvait d'ordinaire, peignes, brosses, miroir, bijoux de pacotille. Ne demeurait que le petit sac à fermoir d'argent et son mystère.

Pour la première fois je l'ai touché. Je sentais qu'il fallait le faire. Je sentais que ma mère l'avait laissé ainsi pour que je m'en saisisse, pour que je l'ouvre après sa mort. Mon front s'est couvert de sueur. Mes doigts tremblaient sur le petit fermoir. Je savais y trouver tout ce que j'avais sans doute obscurément cherché pendant de longues années.

J'ai plongé ma main et ramené au jour le papier froissé où apparaissait le visage de l'aviateur qui souriait près de la carlingue de son appareil. En le regardant de nouveau, je n'ai pu m'empêcher de ressentir le bonheur de retrouvailles, et me suis un instant nourri de l'illusion paisible qu'il pût avoir été mon père.

Dans un ancien écrin à bijoux, minuscule et satiné, une mèche blonde de cheveux autour d'une faveur bleue. Sur un carton jauni, mon prénom ainsi qu'une date : j'avais cinq mois quand ma mère avait prélevé ce souvenir. Cette coutume m'est toujours apparue inquiétante.

Une photographie que je ne connaissais pas me montrait dans les bras de ma mère. Elle avait été prise le même jour que celle que j'avais en ma possession. Ma mère y portait les mêmes vêtements. Le décor était identique : tas de fumier lointain, clapiers et sol boueux. Mais elle n'était plus seule. Deux êtres l'entouraient dont l'un n'avait plus de visage. À gauche de ma mère, ma grand-mère posait, mais elle ne regardait pas l'objectif, elle avait la tête baissée vers le sol. Elle ressemblait à une pénitente en habit de paysanne. À la droite de ma mère, le corps d'un homme se dressait bien droit, grand, les mains le long du corps. Tout dans son attitude indiquait le défi, mais ses traits avaient disparu. À la place de son visage, il n'y avait plus qu'un réseau de hachures blanches produites par des coups de couteau. On l'avait détruit. On avait massacré ses traits. On l'avait défiguré. Ce devait être mon grand-père.

Le dernier trésor du petit sac à fermoir d'argent était une enveloppe close, mince, fragile, et sur laquelle ma mère avait écrit, de sa belle écriture maladroite et ronde, la phrase suivante :

Voilà ce que tu voulais tant connaître

Je sentais sous mes doigts qu'un papier s'y trouvait. Je savais que sur ce papier était inscrit le nom de mon père.

Petits cheveux d'un enfant mort, car il était bien mort l'enfant lointain que j'avais été, visage d'homme, de mensonge, et de rêve, photographie d'une famille, d'un sacrifice ou talisman sauvage, fin mot d'une histoire dont je jouais le dernier acte. Que pouvais-je faire de tout cela ? J'avais devant moi les pièces d'une énigme et la solution de mon mystère. Mais la lumière est-elle toujours préférable à la nuit ?

J'ai refermé le petit sac et suis parti sur la pointe des pieds, pour ne pas réveiller les ombres dormantes et les douces mémoires. J'ai quitté la maison. Je savais cette fois que c'était pour toujours.

Dans ma poche, je sentais la fragile enveloppe et son secret. Je n'avais pas voulu l'ouvrir tout de suite, comme cela, à la sauvette. Il m'a semblé

166

qu'elle réclamait un peu d'égards, une solennité que seule la nuit parvient à donner. J'avais aussi emporté l'image de l'aviateur. La mèche de cheveux et la photographie mutilée avaient retrouvé le calme noir du petit sac à fermoir d'argent. Chacune à sa manière me faisait tellement peur que je les voulais à jamais loin de moi.

« Vous tombez bien ! Vous allez m'aider... »
m'a dit Jos quand j'ai poussé la porte. Il tenait par
les épaules l'Abricot et tentait de l'allonger sur
deux tables.

« C'est le jour de sa pension, Monsieur s'ima-
gine millionnaire, alors il la boit dans tous les
bistros... Vous voyez le résultat ! »

L'Abricot et sa petite figure de misère dor-
maient du profond sommeil du buveur. Celui où
ne dansent plus ni remords ni espoir. Celui qui
ne conduit à rien d'autre qu'à des nuits épaisses
et des aubes pâteuses.

Nous l'avons tous les deux couché sur le lit de
fortune. Il s'est mis aussitôt à ronfler.

La femme de Jos, dans sa chaise, s'était une fois
encore assoupie, l'oreille collée contre la paroi du
poste de radio. Le speaker donnait les nouvelles
du monde. Les tueries à la machette sur la terre

africaine s'enchaînaient aux résultats du championnat de lancer d'œuf dur. Tout allait bien.

Jos m'a tapé sur l'épaule, avant de me la martyriser tranquillement de sa main qu'il avait aussi large qu'un battoir à linge. C'est ainsi souvent que les timides manifestent leur sentiment et leur compassion. Je l'ai remercié d'un regard.

« Allez venez, nous allons trinquer... C'est moi qui régale ! »

Et nous avons trinqué. Beaucoup et longtemps. Nous avons bu ensemble maints alcools diversement corsés, parmi les ronflements de l'Abricot et ceux de la radio, près du corps endormi de la femme de Jos, dont il m'a dit à l'occasion le très beau prénom, Edwige, avant d'ajouter, soudain devenu tendre : « Vous l'auriez vue à vingt ans, une pivoine... »

Je ne savais pas trop ce que je cherchais, à boire ainsi en compagnie du vieil hôtelier. Les heures passaient et dans ma tête qui pesait le poids d'un wagonnet de houille, défilaient en cohortes titubantes quelques-uns des moments les plus doux de ma vie. Parfois, après avoir posé mon verre que Jos remplissait aussitôt, je passais la main dans ma poche pour sentir le froissement de l'enveloppe où sommeillait la part ignorée de moi-même. Je tournais autour du secret comme près de la corne du taureau. J'hésitais à entrer dans le temps de mon alternative.

Jos d'ordinaire bavard parlait peu. Nous buvions de pleins verres de silence. Il m'a semblé pourtant que nous disions beaucoup.

Après de nombreux essais parmi les liquoreux et les vins de groseille, j'ai pris une allure de croisière en enchaînant les rasades de gentiane tandis que Jos plongeait à corps perdu dans l'*Euskadi*.

Malgré tout cet alcool, je ne parvenais pas à m'enivrer, sinon de mélancolie et de peur à chaque fois qu'un mouvement me rappelait la présence de l'enveloppe.

Jos et moi étions entrés dans un monde d'engourdissement et de lenteur. La mécanique prenait le pas sur la conscience. Le dehors n'existait plus. Nous avions quitté les terres fermes. Nous prenions le monde pour un terroir annexe, et sur lequel nous tirions un grand trait.

Tard dans la soirée, Jos a tenté de me dire quelque chose dont tout laissait pressentir qu'il s'agissait d'une importante vérité. Peut-être s'agissait-il d'ailleurs de sa vérité, la vérité de la vie, celle que nous possédons tous au fond de nous et que nous cachons sans cesse aux autres. Il m'a pris les deux mains, a ouvert la bouche, a répété trois fois « Souvent... souvent... souvent... » puis il s'est écroulé, le front sur le zinc, dans un bruit de gong qui m'a rappelé la fin de bien des combats de boxe, qui sont souvent des combats perdus.

Ses ronflements ont épousé ceux de l'Abricot.

Une ampoule du plafonnier a grésillé puis s'est éteinte. Edwige rêvait sans doute. À la radio, une voix enfantine disait un beau poème où il était question de *sainte*, d'*abîme* et de *roses trémières*. Après tout, ce pouvait être sa voix.

J'ai collé une oreille contre la porte de la chambre de Léone. Mais je n'ai entendu qu'un silence sans fin. Elle ne parlait pas à son fils, ne l'appelait pas. Mais peut-être était-elle avec lui. Peut-être le rejoignait-elle chaque nuit, en songe, comme ces deux personnages d'un roman anglais que Monsieur Pawelski m'avait prêté un jour à la fin d'un marché en me disant avoir connu l'auteur, et qui, ces deux personnages, séparés l'un de l'autre par des murs épais, se retrouvaient chaque nuit et vivaient dans les rêves leurs vies d'amour sous le toit d'une maison aux parois de cristal.

Dans ma chambre, j'ai sorti l'enveloppe de ma poche et l'ai posée sur la table. Je me suis allongé sur le lit. J'ai fermé la lumière. J'étais d'une lucidité qui me terrifiait.

Je crois que je me suis endormi.

Ma mère est venue à moi, comme jadis dans la nuit pour surveiller ma fièvre en posant sur mon front sa main fraîche. Elle avait revêtu sa robe aux bouquets de cerises. Elle me souriait, me disait : «Non, tais-toi, ne dis rien, rien ne sert de parler, calme-toi, tout est bien maintenant que tu es revenu.» Puis elle m'embrassait et sortait de la chambre en traversant une porte qui ressemblait à une grande enveloppe blanche sur laquelle des mots étaient tracés. Elle se retournait à demi dévorée déjà par la blancheur de l'enveloppe, comme incendiée par elle, me faisait un signe de la main, m'envoyait un baiser et puis disparaissait.

Mon grand-père entrait à son tour dans ma chambre. Lui aussi me souriait, mais c'était d'un mauvais sourire. Ma grand-mère était assise dans un angle de la pièce et sanglotait sans bruit. Le visage de mon grand-père était tout contre le mien. Je le voyais pour la première fois, de près, de trop près. Je lui ressemblais plus que de raison. Lui aussi passait sa main sur mon front, comme pour me découvrir. Sa main me faisait mal. J'aurais voulu ne pas la sentir. Elle était lourde et rugueuse. Elle était brûlante et glacée. Elle apportait la douleur. Mon grand-père se penchait plus encore vers moi, moi qui aurait aimé soudain fuir ses yeux. Puis après m'avoir longtemps regardé, il s'éloignait vers la porte aux allures d'enveloppe aveuglante, se retournait aussi sur son seuil, agitait sa main comme pour m'inviter à le suivre, éclatait d'un grand rire, et sombrait dans le blanc.

Au matin, j'ai ouvert les yeux sur une grande lumière vive. Les biches du papier peint avaient retrouvé un pelage gracieux. Le sous-bois qu'elles traversaient sortait à nouveau de sa grisaille comme délivré d'un brouillard.

J'avais dormi sur le lit sans le défaire. On aurait cru que la chambre avait été inoccupée. Il me semblait émerger d'un état plus âpre que le sommeil. J'ai ouvert la fenêtre sur un jour clair, un ciel redevenu limpide comme un iris d'enfant, ou l'eau d'une source.

En une nuit, à la façon d'un miracle, la rivière avait remballé sa colère et son ressentiment. Quelques heures lui avaient suffi pour dégonfler ses courants, quitter des contrées où elle n'aurait jamais dû s'étendre. Elle avait retrouvé sa place, apaisée et roulant des flots verts.

Dans la rue, une armée rieuse munie de balais chassait la boue des trottoirs. Des enfants ramassaient des poissons battant de la queue dans les caniveaux et les ornières. Les champs au loin étaient couverts d'un voile brun. Les hautes herbes des fossés prisonnières d'une gangue de glaise ornaient le bord des chemins de crêtes que le soleil commençaient à craqueler. La petite ville paraissait hébétée et heureuse. Derrière elle s'en allait un mauvais rêve marin. De nouveau, le monde des routes ouvertes et des sentiers certains profilait sa victoire. Déjà, l'air frais roulait la promesse d'une sécheresse hivernale.

Il était un peu plus de huit heures. Dans le miroir au-dessus du lavabo, j'ai regardé mon visage, comme pour me reconnaître J'ai pensé à ma mère et je lui ai souri.

L'enveloppe blanche n'avait pas bougé de la table. Elle enfermait toujours son secret improbable. Je l'ai glissée dans ma poche, et puis je suis descendu, emportant mon bagage.

La salle était plongée dans le silence mais Jos, le cheveu en bataille, s'activait près du poêle en fonte. Il tisonnait mécaniquement le fourneau, en toussant de temps à autre, splendide dans un maillot de corps côtelé déchiré sur le devant. J'ai posé ma valise près du bar. Ma tête résonnait du vacarme de mille forges. Jos s'est soudain retourné.

« Alors, ça y est, vous nous quittez ?... Ne vous

en faites pas, maintenant la route est de nouveau ouverte, Bransu ne va pas tarder, mais vous avez le temps de boire un café... Et le crâne, ça va? Moi, je déguste, et mes guibolles aussi, à croire qu'elles n'attendaient que la décrue du dehors pour que mes rivières à moi s'y mettent, vous les verriez... Ah, au fait, un gamin a déjà demandé après vous ce matin, malingre, le genre chétif, avec un visage qu'on ne voit pas et une tignasse dans tous les sens, vous le connaissez?... Moi, je lui ai dit que vous dormiez, il insistait, alors je l'ai fichu dehors! C'est un gosse de manouche, non? Il y en avait tout un lot de bloqués avec les inondations... »

Jos a saisi le seau à charbon et puis a fait rouler les boules de coke dans la gueule du *Godin*. Le bruit m'a rappelé le déchargement des vastes péniches aux noms de bouts du monde qui appontaient devant l'usine, la proue rasant l'horizon du canal. Il a cherché une boîte d'allumettes, qu'il a trouvée dans la poche de son pantalon dont les bretelles détendues pendaient le long de ses cuisses.

« Quelle soirée! Ah vous m'y reprendrez! Pourtant, sans me vanter, j'ai de l'entraînement! Heureusement que ma femme ne s'est aperçue de rien... Enfin, c'est la vie, tout ça, la vraie en somme, tout le reste, c'est du mégotage, vous ne

177

croyez pas ?... Vous n'auriez pas un bout de papier ? »

Jos fouillait partout pour trouver de quoi faire partir son feu.

« C'est toujours quand on cherche qu'on ne trouve pas, c'est comme ça pour tout ! » Il commençait à s'énerver et serrait fort son tisonnier tout en pestant comme un diable.

J'avais toujours contre moi l'enveloppe scellée. Elle me brûlait. J'ai fini par la lui tendre. Il m'a souri de ses dents grises et l'a prise.

« Ah merci ! Vous me sauvez !... Jamais un seul papier sous la main ! Mais vous êtes sûr, je peux ?, vous ne regretterez pas ? Faites attention, parfois on fait des choses, et après on regrette, et c'est grave les regrets, faut pas plaisanter avec ! Je me rappelle quand j'étais gamin, j'avais un oncle qui avait beaucoup étudié et puis qui s'était arrêté, à cause d'une maladie. On l'appelait *Caboche*, c'était le frère cadet de ma mère... oui, qu'est-ce que vous croyez, moi aussi j'ai eu une mère ! Il venait dîner quatre fois par an chez nous, à la Toussaint, à la Noël, à Pâques, et le jour de sa fête, en plein mois d'août. On allait le chercher à son institut, rempli de bonnes sœurs et de barreaux aux fenêtres. De ses études, il avait gardé plein d'histoires qu'il nous servait à tout bout de champ, quand il n'était pas en crise, ça lui arrivait aussi, et à ce moment-là, il voulait toujours monter sur le peuplier qui était en face de chez nous, une superbe ramure, on le retrouvait des fois tout là-haut, alors qu'il nous avait dit aller aux cabinets, ensuite il ne voulait en plus déloger *"J'aurai la lune,* qu'il gueulait, *j'aurai la lune!"* et ma mère l'appelait alors tout doucement, "Descends mon Nono, descends donc", et mon père gueulait comme un cochon, "Tu vas descendre fumier, ou c'est moi qui monte..." et l'oncle qui continuait toujours *"J'aurai la lune, j'aurai la lune!"*... À défaut de lune, on lui servait la grande échelle des pompiers et la camisole.

«Dans les histoires de l'oncle, il y en avait une qui revenait souvent, une vieille légende, comme une parabole d'église mais sans les fanfreluches et l'eau bénite... Tu sais Jos, qu'il me disait, les coquillages, quand ils se blessent dans la mer, pour calmer leur blessure et la guérir, ils font de belles perles tout autour, des perles toutes moirées, de vrais trésors qui possèdent le souvenir, la mémoire de la blessure... Eh bien nous autres les hommes, quand on se blesse, ou qu'on blesse quelqu'un, nos perles à nous, ce sont les regrets, on se fabrique de beaux regrets, et dans une vie, qu'on soit prince, cordonnier ou sénateur, nos regrets sont écrits sur un grand livre, un superbe livre avec beaucoup d'or et d'enluminures, *Le livre de dettes* qu'il s'appelle, ils sont écrits et comptés, et chaque fois qu'un regret est écrit, on pleure, on souffre en pensant à lui, mais ça nous donne la force d'aller vers le suivant, et ainsi se passe la vie, mon petit Jos, de regret en regret, comme un saute-mouton, la vie dans laquelle nous avons cent regrets, pas un de plus, pas un de moins, on peut faire des pieds et des mains, me disait l'oncle, on n'aura jamais droit à plus de cent regrets, mais ça les hommes ne le savent pas, sauf moi, moi je le sais car je connais la légende, et il me disait ça en me regardant dans les yeux avec son regard un peu fou, et moi j'avais la frousse et en même temps je l'écoutais parce que je trouvais ça beau, cent regrets répétait l'oncle, et quand le centième est écrit sur le grand livre, *Le livre de dettes*, quand il est bien écrit avec la belle écriture calme et déliée, alors, on meurt ! le lendemain même, on meurt... il n'y a pas à tortiller ou à geindre, c'est comme ça, on meurt, et tu sais de quoi on meurt... ? On meurt de ne plus avoir à regretter... Et l'oncle alors partait d'un grand rire, d'un rire... un rire de dément qui a trop frôlé la vérité des choses, et qui s'y est un peu brûlé le cervelet... J'étais tout gamin alors, ça m'impressionnait... C'est beau comme légende, vous ne trouvez pas ? moi, j'ai toujours trouvé ça très beau... oui, vraiment très beau... »

Jos, Jos Sanglard, brandissait toujours sous mon nez l'enveloppe que je lui avais donnée. Il m'a regardé bien au fond des yeux et, j'en jurerais, bien au fond de mon cœur et de mon âme, longuement, et puis il m'a dit, avec sa belle voix éraillée par le cours de la vie :

« Alors, sûr, pas de regret, je peux y aller, rien d'important... ?

— Non... rien d'important », lui ai-je répondu.

Et le feu a parcouru le papier comme les lèvres aimées glissent sur la peau.

DU MÊME AUTEUR

Aux Éditions Balland

MEUSE L'OUBLI, roman, 1999. Prix la Feuille d'or-Radio France Nancy-Lorraine. Prix Erckmann-Chatrian (Folio n° 4356)

QUELQUES-UNS DES CENT REGRETS, roman, 2000. Prix Marcel Pagnol, prix Lucioles, 2001 (Folio n° 4357)

J'ABANDONNE, roman, 2000. Prix France Télévision (Folio n° 3784)

Aux Mercure de France

LES PETITES MÉCANIQUES, 2003. Bourse Goncourt de la Nouvelle (Folio n° 4068)

Aux Éditions Stock

LE BRUIT DES TROUSSEAUX, 2002

LES ÂMES GRISES, 2003. Prix Renaudot, Grand Prix des lectrices de Elle

LA PETITE FILLE DE MONSIEUR LINH, 2005

LE MONDE SANS LES ENFANTS ET AUTRES HISTOIRES, 2006

LE RAPPORT DE BRODECK, 2007. Prix Goncourt des Lycéens 2007

Chez d'autres éditeurs

LE CAFÉ DE L'EXCELSIOR, roman, illustré de cinq photographies de Jean-Michel Marchetti, *Éditions La Dragonne*, 1999

BARRIO FLORES, PETITE CHRONIQUE DES OUBLIÉS, roman par nouvelles, illustré de six photographies de Jean-Michel Marchetti, *Éditions La Dragonne*, 2000

AU REVOIR, MONSIEUR FRIANT, *Éditions Philéas Fogg*, 2001

POUR RICHARD BATO, récit, collection « Visible-lisible », *Æncrages & Co*, 2001

NOS SI PROCHES ORIENTS, récit, *National Geographic*, 2002

LA MORT DANS LE PAYSAGE, nouvelle illustrée de deux photographies de Nicolas Matula, *Æncrages & Co*, 2002

TROIS PETITES HISTOIRES DE JOUETS, nouvelles, *Virgile Éditions*, 2004

TROIS NUITS AU PALAIS FARNÈSE, récit, *Nicolas Chaudun Éditions*, 2005

FICTIONS INTIMES, nouvelle sur des photographies de Laure Vasconi, *Filigrane Éditions*, 2005

OMBÉLLIFÈRES, illustration d'Émile Gallé, *Circa* 1924, 2006

COLLECTION FOLIO

Dernières parutions

4516. Pascal Quignard — *Les Paradisiaques. Dernier Royaume, IV.*
4517. Danièle Sallenave — *La Fraga.*
4518. Renée Vivien — *La Dame à la louve.*
4519. Madame Campan — *Mémoires sur la vie privée de Marie-Antoinette.*
4520. Madame de Genlis — *La Femme auteur.*
4521. Elsa Triolet — *Les Amants d'Avignon.*
4522. George Sand — *Pauline.*
4523. François Bégaudeau — *Entre les murs.*
4524. Olivier Barrot — *Mon Angleterre. Précis d'Anglopathie.*
4525. Tahar Ben Jelloun — *Partir.*
4526. Olivier Frébourg — *Un homme à la mer.*
4527. Franz-Olivier Giesbert — *Le sieur Dieu.*
4528. Shirley Hazzard — *Le Grand Incendie.*
4529. Nathalie Kuperman — *J'ai renvoyé Marta.*
4530. François Nourissier — *La maison Mélancolie.*
4531. Orhan Pamuk — *Neige.*
4532. Michael Pye — *L'antiquaire de Zurich.*
4533. Philippe Sollers — *Une vie divine.*
4534. Bruno Tessarech — *Villa blanche.*
4535. François Rabelais — *Gargantua.*
4536. Collectif — *Anthologie des humanistes européens de la renaissance.*
4537. Stéphane Audeguy — *La théorie des nuages.*
4538. J. G. Ballard — *Crash !*
4539. Julian Barnes — *La table citron.*
4540. Arnaud Cathrine — *Sweet home.*
4541. Jonathan Coe — *Le cercle fermé.*
4542. Frank Conroy — *Un cri dans le désert.*
4543. Karen Joy Fowler — *Le club Jane Austen.*
4544. Sylvie Germain — *Magnus.*
4545. Jean-Noël Pancrazi — *Les dollars des sables.*
4546. Jean Rolin — *Terminal Frigo.*

4547. Lydie Salvayre — *La vie commune.*
4548. Hans-Ulrich Treichel — *Le disparu.*
4549. Amaru — *La Centurie. Poèmes amoureux de l'Inde ancienne.*
4550. Collectif — *«Mon cher papa...» Des écrivains et leur père.*
4551. Joris-Karl Huysmans — *Sac au dos* suivi de *À vau l'eau.*
4552. Marc-Aurèle — *Pensées (Livres VII-XII).*
4553. Valery Larbaud — *Mon plus secret conseil...*
4554. Henry Miller — *Lire aux cabinets.*
4555. Alfred de Musset — *Emmeline.*
4556. Irène Némirovsky — *Ida* suivi de *La comédie bourgeoise.*
4557. Rainer Maria Rilke — *Au fil de la vie.*
4558. Edgar Allan Poe — *Petite discussion avec une momie et autres histoires extraordinaires.*
4559. Madame de Duras — *Ourika. Édouard. Olivier ou le Secret.*
4560. François Weyergans — *Trois jours chez ma mère.*
4561. Robert Bober — *Laissées-pour-compte.*
4562. Philippe Delerm — *La bulle de Tiepolo.*
4563. Marie Didier — *Dans la nuit de Bicêtre.*
4564. Guy Goffette — *Une enfance lingère.*
4565. Alona Kimhi — *Lily la tigresse.*
4566. Dany Laferrière — *Le goût des jeunes filles.*
4567. J.M.G. Le Clézio — *Ourania.*
4568. Marie Nimier — *Vous dansez?*
4569. Gisèle Pineau — *Fleur de Barbarie.*
4570. Nathalie Rheims — *Le Rêve de Balthus.*
4571. Joy Sorman — *Boys, boys, boys.*
4572. Philippe Videlier — *Nuit turque.*
4573. Jane Austen — *Orgueil et préjugés.*
4574. René Belletto — *Le Revenant.*
4575. Mehdi Charef — *À bras-le-cœur.*
4576. Gérard de Cortanze — *Philippe Sollers. Vérités et légendes.*
4577. Leslie Kaplan — *Fever.*
4578. Tomás Eloy Martínez — *Le chanteur de tango.*
4579. Harry Mathews — *Ma vie dans la CIA.*

4580. Vassilis Alexakis   *La langue maternelle.*
4581. Vassilis Alexakis   *Paris-Athènes.*
4582. Marie Darrieussecq   *Le Pays.*
4583. Nicolas Fargues   *J'étais derrière toi.*
4584. Nick Flynn   *Encore une nuit de merde dans cette ville pourrie.*
4585. Valentine Goby   *L'antilope blanche.*
4586. Paula Jacques   *Rachel-Rose et l'officier arabe.*
4587. Pierre Magnan   *Laure du bout du monde.*
4588. Pascal Quignard   *Villa Amalia.*
4589. Jean-Marie Rouart   *Le Scandale.*
4590. Jean Rouaud   *L'imitation du bonheur.*
4591. Pascale Roze   *L'eau rouge.*
4592. François Taillandier   *Option Paradis. La grande intrigue, I.*
4593. François Taillandier   *Telling. La grande intrigue, II.*
4594. Paula Fox   *La légende d'une servante.*
4595. Alessandro Baricco   *Homère, Iliade.*
4596. Michel Embareck   *Le temps des citrons.*
4597. David Shahar   *La moustache du pape et autres nouvelles.*
4598. Mark Twain   *Un majestueux fossile littéraire et autres nouvelles.*
4600. Tite-Live   *Les Origines de Rome.*
4601. Jerome Charyn   *C'était Broadway.*
4602. Raphaël Confiant   *La Vierge du Grand Retour.*
4603. Didier Daeninckx   *Itinéraire d'un salaud ordinaire.*
4604. Patrick Declerck   *Le sang nouveau est arrivé. L'horreur SDF.*
4605. Carlos Fuentes   *Le Siège de l'Aigle.*
4606. Pierre Guyotat   *Coma.*
4607. Kenzaburô Ôé   *Le faste des morts.*
4608. J.-B. Pontalis   *Frère du précédent.*
4609. Antonio Tabucchi   *Petites équivoques sans importance.*
4610. Gonzague Saint Bris   *La Fayette.*
4611. Alessandro Piperno   *Avec les pires intentions.*
4612. Philippe Labro   *Franz et Clara.*
4613. Antonio Tabucchi   *L'ange noir.*

4614. Jeanne Herry — *80 étés.*
4615. Philip Pullman — *Les Royaumes du Nord. À la croisée des mondes, I.*
4616. Philip Pullman — *La Tour des Anges . À la croisée des mondes, II.*
4617. Philip Pullman — *Le Miroir d'Ambre. À la croisée des mondes, III.*
4618. Stéphane Audeguy — *Petit éloge de la douceur.*
4619. Éric Fottorino — *Petit éloge de la bicyclette.*
4620. Valentine Goby — *Petit éloge des grandes villes.*
4621. Gaëlle Obiégly — *Petit éloge de la jalousie.*
4622. Pierre Pelot — *Petit éloge de l'enfance.*
4623. Henry Fielding — *Histoire de Tom Jones.*
4624. Samina Ali — *Jours de pluie à Madras.*
4625. Julian Barnes — *Un homme dans sa cuisine.*
4626. Franz Bartelt — *Le bar des habitudes.*
4627. René Belletto — *Sur la terre comme au ciel.*
4628. Thomas Bernhard — *Les mange-pas-cher.*
4629. Marie Ferranti — *Lucie de Syracuse.*
4630. David McNeil — *Tangage et roulis.*
4631. Gilbert Sinoué — *La reine crucifiée*
4632. Ted Stanger — *Sacrés Français ! Un Américain nous regarde.*
4633. Brina Svit — *Un cœur de trop.*
4634. Denis Tillinac — *Le venin de la mélancolie.*
4635. Urs Widmer — *Le livre de mon père.*
4636. Thomas Gunzig — *Kuru.*
4637. Philip Roth — *Le complot contre l'Amérique.*
4638. Bruno Tessarech — *La femme de l'analyste.*
4639. Benjamin Constant — *Le Cahier rouge.*
4640. Carlos Fuentes — *La Desdichada.*
4641. Richard Wright — *L'homme qui a vu l'inondation suivi de Là-bas, près de la rivière.*
4642. Saint-Simon — *La Mort de Louis XIV.*
4643. Yves Bichet — *La part animale.*
4644. Javier Marías — *Ce que dit le majordome.*
4645. Yves Pagès — *Petites natures mortes au travail.*
4646. Grisélidis Réal — *Le noir est une couleur.*
4647. Pierre Senges — *La réfutation majeure.*

4648. Gabrielle Wittkop   *Chaque jour est un arbre qui tombe.*

4649. Salim Bachi   *Tuez-les tous.*

4650. Michel Tournier   *Les vertes lectures.*

4651. Virginia Woolf   *Les Années.*

4652. Mircea Eliade   *Le temps d'un centenaire* suivi de *Dayan.*

4653. Anonyme   *Une femme à Berlin. Journal 20 avril-22 juin 1945.*

4654. Stéphane Audeguy   *Fils unique.*

4655. François Bizot   *Le saut du Varan.*

4656. Pierre Charras   *Bonne nuit, doux prince.*

4657. Paula Fox   *Personnages désespérés.*

4658. Angela Huth   *Un fils exemplaire.*

4659. Kazuo Ishiguro   *Auprès de moi toujours.*

4660. Luc Lang   *La fin des paysages.*

4661. Ian McEwan   *Samedi.*

4662. Olivier et Patrick Poivre d'Arvor   *Disparaître.*

4663. Michel Schneider   *Marilyn dernières séances.*

4664. Abbé Prévost   *Manon Lescaut.*

4665. Cicéron   *«Le bonheur dépend de l'âme seule».* Tusculanes, *livre V.*

4666. Collectif   *Le pavillon des Parfums-Réunis.* et autres nouvelles chinoises des Ming.

4667. Thomas Day   *L'automate de Nuremberg.*

4668. Lafcadio Hearn   *Ma première journée en Orient* suivi de *Kizuki le sanctuaire le plus ancien du Japon.*

4669. Simone de Beauvoir   *La femme indépendante.*

4670. Rudyard Kipling   *Une vie gaspillée* et autres nouvelles.

4671. D. H. Lawrence   *L'épine dans la chair* et autres nouvelles.

4672. Luigi Pirandello   *Eau amère.* et autres nouvelles.

4673. Jules Verne   *Les révoltés de la Bounty* suivi de *maître Zacharius.*

4674. Anne Wiazemsky   *L'île.*

4675. Pierre Assouline   *Rosebud.*

Composition Bussière.
Impression Société Nouvelle Firmin-Didot
à Mesnil-sur-l'Estrée, le 10 mars 2008.
Dépôt légal : mars 2008.
1er dépôt légal dans la collection : mars 2006.
Numéro d'imprimeur : 89569.

ISBN 978-2-07-031504-8/Imprimé en France.